Es fácil **dejar de fumar,** si sabes cómo

ESPASA PRÁCTICO

haz tu vida más fácil

Es fácil **dejar de fumar,** si sabes cómo

Allen Carr

ESPASA

ESPASA PRÁCTICO

Título original: *The Easy Way to Stop Smoking*
Traducción: Geoffrey Molloy y Rhea Sivi

Diseño de cubierta: Juan Pablo Rada
Diseño de interior: Herederos de Juan Palomo

© Allen Carr's Easyway (International) Limited, 1985, 1991, 1998, 2004
© Espasa Calpe, S. A., 2005

Depósito legal: M. 38.757-2005
ISBN: 84-239-3582-5

Espasa, en su deseo de mejorar sus publicaciones, agradecerá cualquier sugerencia que los lectores hagan al departamento editorial por correo electrónico: sugerencias@espasa.es.

Impreso en España/Printed in Spain
Impresión: ROTAPAPEL

Editorial Espasa Calpe, S. A.
Complejo Ática - Edificio 4
Vía de las Dos Castillas, 33
28224 Pozuelo de Alarcón (Madrid)

A todos los fumadores que no he conseguido curar. Espero que este libro les ayude a conseguir la libertad

Y a Sid Sutton

Pero especialmente a Joyce

Índice

Nota previa

Imagina que hubiera un método mágico para dejar de fumar que permitiera a cualquier fumador, incluido tú, dejarlo

—INMEDIATAMENTE
—PERMANENTEMENTE
—SIN EMPLEAR LA FUERZA DE VOLUNTAD
—SIN SUFRIR SÍNDROME DE ABSTINENCIA
—SIN UTILIZAR TÁCTICAS DE CHOQUE, PÍLDORAS, PARCHES U OTROS ARTILUGIOS

Imagina además que

—NO HAY PERIODO INICIAL DEPRESIVO O DESDICHADO
—¡INMEDIATAMENTE DISFRUTAS MÁS EN TUS ENCUENTROS SOCIALES!
—¡TE SIENTES MÁS SEGURO Y MEJOR PREPARADO PARA SUPERAR EL ESTRÉS!
—ESTÁS MÁS CAPACITADO PARA CONCENTRARTE
—NO PASAS EL RESTO DE TU VIDA TENIENDO QUE RESISTIR LA OCASIONAL TENTACIÓN DE ENCENDER UN CIGARRILLO Y...
—¡NO SÓLO ENCUENTRAS FÁCIL DEJAR DE FUMAR, SINO QUE PUEDES REALMENTE DISFRUTAR DEL PROCESO DESDE EL MOMENTO EN QUE APAGAS TU ÚLTIMO CIGARRILLO!

Si existiera tal método mágico, ¿lo probarías? Serías un poco irresponsable si no lo hicieras. Pero, por supuesto, tú no crees en la magia. Yo tampoco. Sin embargo, el método que te he descrito existe. Lo llamo EASYWAY. En realidad no es mágico, sólo lo parece. A mí ciertamente me lo pareció cuando lo descubrí, y yo sé que muchos de los millones de ex fumadores que han dejado de fumar, con éxito, con la ayuda de EASYWAY, también opinan lo mismo. No dudo de que tú aún pienses que mi propuesta es difícil de creer. No te preocupes. De hecho te consideraría en cierto modo un poco ingenuo si lo aceptaras sin una demostración previa. Por otro lado, no cometas el error de desecharlo porque creas que mis afirmaciones son excesivamente exageradas. Con toda probabilidad, estás leyendo este libro sólo porque te lo ha aconsejado un ex fumador que asistió a un centro EASYWAY o que también lo leyó.

Sólo hay un método EASYWAY. ¿Cómo funciona? No es fácil describirlo brevemente. Los fumadores llegan a nuestros centros convencidos de que no lo lograrán y creyendo que, incluso si por algún milagro se las arreglan para dejarlo, primero tendrán que soportar un interminable periodo de vil miseria; que en las reuniones sociales nunca serán lo bastante agradables; que tendrán menos capacidad de concentración y de vencer el estrés, y que, aunque ellos no vuelvan a fumar, nunca serán completamente libres, porque durante el resto de sus vidas tendrán ocasionales deseos de fumar un cigarrillo y siempre deberán resistir la tentación.

El setenta por ciento de los fumadores que salen del centro unas pocas horas más tarde son ya alegres no fumadores. ¿Cómo conseguimos ese milagro? Necesitas concertar una cita en un centro EASYWAY. De cualquier modo, lo que puedo decirte es que la mayoría de los fumadores esperan que, para lograr este objetivo, insistamos en el terrible riesgo que corre su salud, que fumar es un hábito asqueroso y repugnante, que les cuesta una fortuna y lo estúpidos que son por no dejarlo. No. Nosotros no les decimos lo que ellos ya saben. Todos estos problemas surgen por ser fumador, no por dejarlo, y para dejarlo es necesario eliminar las razones que nos llevan a fumar. EASYWAY se dirige a este problema. Elimina el deseo de fumar. Cuando esto sucede, no es preciso que el ex fumador tenga fuerza de voluntad.

El método EASYWAY existe en diferentes modalidades. Simplemente son instrumentos diferentes para transmitir lo mismo. ¿Cuál es el más indicado para ti? Es una cuestión de elección personal. Algunos prefieren leer libros, otros prefieren la charla presencial. Los centros logran tan alta proporción de éxito que ofrecemos como garantía la devolución total del dinero. El inconveniente del libro es que, si no estás de acuerdo con algo, no puedes trasmitir tus observaciones al instructor y, si no comprendes el sentido exacto, el libro en sí mismo no puede modificar la situación. En los centros te puedes beneficiar de contar con el apoyo de un instructor experimentado. Nuestros instructores son todos ex fumadores, que lo dejaron gracias al método EASYWAY. Han sido cuidadosamente seleccionados y meticulosamente preparados para entender tus necesidades. Puedes preguntarles acerca de cuestiones o detalles que no entiendas o comentar aquello con lo que no estás de acuerdo. De igual forma, si tú, sin saberlo, interpretas de forma errónea un punto importante, el instructor se dará cuenta de ello y corregirá la situación.

Otra ventaja importante de acudir al centro es que te encontrarás en un entorno apropiado para que nada te distraiga de tu objetivo principal. Aunque es posible que cuando llegues a uno de nuestros centros el ambiente pueda recordarte a la sala de espera de un dentista, pronto se transformará en una feliz reunión de viejos amigos que se identifican contigo y se relacionan con los otros miembros del grupo. Sin embargo, la principal ventaja que te ofrece el centro es que tu problema se convierte en nuestra responsabilidad. Si tú eres del treinta por ciento que requiere más de una visita, puedes asistir a un número indeterminado de sesiones de seguimiento sin coste adicional. Nuestro lema es idéntico al de la Real Policía Montada del Canadá, nosotros nunca abandonamos a nuestro hombre —o mujer—. Y si tú decides que no deseas prolongar más el dejar de fumar, tus honorarios te serán reintegrados en su totalidad. Al final del libro te ofrecemos una completa lista de centros de todo el mundo.

Sin embargo, dicho todo esto, se puede dejar de fumar con la lectura de este libro. Millones de fumadores dejarán de fumar fácilmente sólo con leerlo. Si eres fumador, lo único que tienes que hacer es seguir leyendo. Si eres no fumador y compras este libro para un ser querido, lo único que tienes que hacer es convencerlo para que lo lea. Si no puedes conseguirlo, lee el libro tú mismo; el último capítulo te dará algunos consejos para hacerle llegar el mensaje y para evitar que tus hijos empiecen. No te dejes engañar por el hecho de que ahora odien el tabaco: todos los niños lo odian antes de engancharse.

Nota de los traductores

Geoffrey Molloy y Rhea Sivi quieren dar las gracias a María José Duarte por su ayuda en la traducción de este libro.

Puede que algunas frases y palabras parezcan algo raras al lector español.

Hemos preferido ser fieles al estilo directo y coloquial de Allen Carr, ya que es importante comunicar sus ideas fielmente y su lenguaje se ha probado con eficacia con los clientes que acuden a las sesiones de EASYWAY que se imparten por toda España. La dirección se encuentra al final del libro, así como las direcciones de los centros en otros países.

En la charla con EASYWAY tendrá la oportunidad de aclarar cualquier duda o temor que pueda tener en este asunto.

Entre las organizaciones que en España han adoptado la charla EASYWAY se encuentran MERCEDES BENZ, AENA, FRIGO, FRUDESA, CAIXA CATALUÑA, GRUPO MONDRAGÓN e IBERDROLA, consiguiendo un éxito muy por encima de otros métodos.

Judith Mackay, presidente del Comité del Proyecto «Libre de Tabaco» de la OMS, da su opinión: «No tengo ninguna duda en apoyar el trabajo de Allen Carr, ayudando a fumadores a que dejen de fumar. Muchas clínicas o personas emplean algunas de sus técnicas, pero parece ser que muy pocos ofrecen un sistema que tenga tanto éxito.»

«¡Voy a curar al mundo de fumar!»

Estaba hablando con mi mujer. Ella pensó que me había vuelto loco, lo cual es comprensible, dado que cada dos años había sido testigo de mis serios intentos por dejar de fumar. Resulta más comprensible si se tiene en cuenta que mi último intento había terminado en un ataque de llanto, cuando comprendí que, una vez más, había sido derrotado después de seis meses de infierno. Lloraba porque sabía que si no lo lograba esta vez, sería fumador para el resto de mi vida, y había puesto tanto empeño que me di cuenta de que no podría volver a sufrir tanto. Su reacción resulta aún más comprensible cuando me oyó pronunciar esta frase, apenas apagué mi último cigarrillo: «¡No sólo me curaré yo, sino que además curaré al resto del mundo!»

Mirando atrás, parece como si toda mi existencia no fuera más que una preparación para resolver el problema del fumar. Incluso esos años odiosos en los que estudié y trabajé como economista, resultaron de enorme valor para desentrañar los misterios de la trampa del fumar. Se dice que no se puede engañar a todo el mundo siempre; pero creo que es justamente eso lo que han estado haciendo las empresas tabacaleras durante muchos años. También soy el primero que ha comprendido a fondo la trampa del fumar. Para evitar parecer arrogante quiero aclarar que no soy el responsable de este descubrimiento, sino que fueron las circunstancias de mi vida las que me ayudaron a verlo todo con claridad.

El día histórico fue el 15 de julio de 1983. Nunca escapé de la prisión de Alcatraz, pero supongo que el alivio de quienes sí lo hicieron fue comparable al que sentí apagando aquel último cigarrillo. Me di cuenta de que había descubierto lo que todos los fumadores querrían encontrar: una forma fácil para dejar de fumar. Después de probar mi método con familiares y amigos, me dediqué por completo a ayudar a todos aquellos fumadores que quisieran dejar de fumar.

Escribí la primera edición de este libro en 1985. Me decidí a hacerlo ante la necesidad de una de las personas a quien no había podido ayudar, cuyo caso aparece en el capítulo veinticinco. Me había visitado dos veces, y ambos habíamos acabado llorando en las dos ocasiones. Estaba tan ansioso que no lograba relajarse lo suficiente como para entender lo que yo le decía. Entonces se me ocurrió que si lo escribía, él podría leerlo en el momento oportuno, tantas veces como quisiera, ayudándole con ello a captar el mensaje.

Escribo esta introducción para la segunda edición del libro, que ha figurado todos los años en la lista de *bestsellers*. Al hacerlo, recuerdo la enorme cantidad de cartas que he recibido y sigo recibiendo de todo el mundo, escritas por fumadores y familiares de fumadores, en agradecimiento por su publicación. Desgraciadamente, no cuento con el tiempo suficiente para responder a todas, pero quiero decir que cada una de ellas me ha producido un enorme placer y que una sola carta justifica todo mi esfuerzo.

No deja de sorprenderme lo que sigo aprendiendo cada día acerca del fumar. Aun así, la filosofía básica que sustenta el libro sigue estando bien fundada. Creo que la perfección es inalcanzable, aunque hay un capítulo que no modificaría jamás, y que además fue el más fácil de escribir y es el preferido de la mayoría de los lectores: el capítulo veintiuno.

Además de la experiencia como instructor, cuento también con la ventaja de los comentarios recibidos a lo largo de cinco años, desde la publicación del libro. Las modificaciones de la primera edición responden a la necesidad de perfeccionar el mensaje, para lo cual me he servido de las personas que fracasaron y las razones por las que fracasaron. La mayoría de estas personas son jóvenes y me consultaron obligados por sus padres, sin tener ganas de dejarlo. Aun así logro curar el 75 por 100 de estos casos. Pero de vez en cuando, me enfrento a un verdadero fracaso; personas que desean desesperadamente dejar de fumar, como la persona del capítulo veinticinco. Estos casos me producen una profunda pena, y a veces no logro conciliar el sueño pensando en la forma de llegar hasta ese fumador. Considero que la falta es mía, y no del fumador, por no poder lograr que tal persona comprenda lo fácil que es dejar de fumar, y cuánto más disfrutaría de su vida liberándose de la trampa del fumar. Sé que todo fumador puede descubrir que es fácil hacerlo y además disfrutarlo, pero algunas personas están tan aferradas a sus opiniones que son incapaces de emplear la imaginación; el miedo a dejar de fumar impide que abran su mente. Nunca se les ocurre que es el cigarrillo lo que les produce ese miedo y que el mayor beneficio al dejar de fumar consiste en erradicar dicho temor.

Dediqué la primera edición al porcentaje de personas que no logré curar (entre el 16 y el 20 por 100). A todos se les devolvió el dinero, ya que sólo cobro a quienes logro ayudar.

He recibido muchas críticas sobre mi método en estos años, pero sé que es válido para cualquier tipo de fumador. La queja más frecuente que escucho es: «Tu método no funcionó conmigo.» Los fumadores admiten que actuaron de un modo totalmente contrario a la mitad de mis instrucciones y ¡no comprenden por qué siguen fumando! Imagina que has pasado toda tu vida atrapado en un laberinto sin poder salir. Yo tengo un plano del laberinto: si te ordeno que gires a la izquierda, luego a la derecha y así sucesivamente, y tú no lo haces, las siguientes instrucciones no tendrán sentido y nunca escaparás del laberinto.

Al principio, atendía a una persona por vez y sólo lograba que me consultaran aquellas que estaban desesperadas por dejar de fumar. Me tenían por una especie de charlatán. En cambio, ahora se me considera la máxima autoridad en lo que respecta a dejar de fumar. La gente viene de todas partes del mundo para verme. Recibo a grupos de ocho personas por vez y, sin embargo, no logro atender a todos aquellos que requieren mis servicios. No hago publicidad y tampoco me encontrarán en la guía telefónica.

En casi todas las sesiones se encuentran presentes ex alcohólicos y ex drogadictos o alguien que ha dejado todo. He probado mi método con alcohólicos y adictos a la heroína y he comprobado que, siempre y cuando no hayan asistido a las reuniones de Alcohólicos Anónimos (AA) o NA resultan más fáciles de curar que los fumadores. Este método sirve para tratar la adicción a todo tipo de drogas.

El factor más preocupante es la facilidad con la que los ex fumadores, alcohólicos o drogadictos vuelven a caer en la adicción. Las cartas más desesperadas provienen de fumadores que dejaron de fumar con la ayuda de este libro o de mi vídeo, y que luego volvieron a engancharse. Están felices de ser libres al principio; pero vuelven a caer en la trampa, y esta vez el método no les ayuda. Mi preocupación actual consiste en ayudar a los fumadores a dejarlo una vez más, y explicarle la relación que existe entre el alcohol, otras drogas y el cigarrillo, pero considero que este tema es materia para otro libro en el que me encuentro trabajando.

La crítica más común es que el libro es repetitivo. No me disculpo por ello, pues, como explico en estas páginas, el problema principal no es la adicción química, sino el lavado de cerebro que resulta de ella. Irónicamente, quienes se quejan de las repeticiones son los fumadores que no pueden dejar de fumar. ¡Qué casualidad!

Como he dicho, recibo muchos elogios y algunas críticas. En un principio, algunas de las críticas provenían de los profesionales de la medicina, pero hoy se han convertido en mis más fervientes defensores. De hecho, el mayor elogio lo recibí de un médico que se limitó a decir: «Me habría gustado a mí escribir el libro.»

Capítulo 1

El peor adicto a la nicotina que jamás he conocido

Tal vez debería empezar por explicar por qué me considero competente para escribir este libro. No soy ni médico ni psiquiatra; mis títulos son mucho más apropiados: fui durante treinta y tres años de mi vida un fumador empedernido. En los últimos años fumaba cien cigarrillos diarios en los días malos, y nunca menos de sesenta.

A lo largo de mi vida había intentado dejarlo docenas de veces. Una vez lo dejé durante seis meses, y todavía estaba que me subía por las paredes. Me colocaba cerca de los fumadores para obtener un soplillo de su humo; seguía viajando en los compartimentos para fumadores de los trenes.

En cuanto a la salud, con la mayoría de los fumadores es una cuestión de «lo dejaré antes de que me ocurra algo». Yo había llegado al punto en que sabía que me estaba matando. Tenía un dolor de cabeza permanente, producido por la presión de una tos continua. Sentía cómo palpitaba casi sin parar la vena que baja por el centro de la frente, y, sinceramente, creía que en cualquier momento me iba a explotar la cabeza y que me moriría de una hemorragia cerebral. Aquello me preocupaba, pero no por eso dejaba de fumar.

Había llegado a una etapa en la que ya ni siquiera intentaba dejarlo. No era que me gustase fumar. La mayoría de los fumadores han estado alguna vez bajo la ilusión de que disfrutan de un cigarrillo de vez en cuando, pero yo nunca he tenido esa ilusión. Siempre he odiado el sabor y el olor del tabaco, pero creía que los cigarrillos me ayudaban a relajarme. Me daban valor y confianza. Siempre me sentía deprimido cuando intentaba dejarlo y no pensaba que se pudiera disfrutar de la vida sin cigarrillos.

Al final, mi mujer me envió a un hipnoterapeuta. Debo confesar que era completamente escéptico. En aquellos tiempos no sabía nada acerca de la hipnosis; imaginaba a unos tipos con aire de Svengali, con ojos penetrantes, moviendo un péndulo. Tenía todas las fantasías que afectan a los fumadores excepto una: sabía que no era una persona de poca voluntad. Yo dominaba en todos los demás aspectos de mi vida, pero los cigarrillos me dominaban a mí. Creía que la hipnosis implicaba cambios forzosos en mi voluntad, y, aunque no obstaculizaba el proceso (como la mayoría de los fumadores, estaba deseando dejarlo), creía que nadie me iba a convencer de que no necesitaba fumar.

La sesión entera me pareció una pérdida de tiempo. El hipnoterapeuta intentaba hacer que levantara los brazos y probó varias cosas. Nada parecía funcionar como debía: no perdí el conocimiento y no entré en trance (o, al menos, eso creo yo). Sin embargo, después de esa sesión, no sólo dejé de fumar, sino que realmente disfruté del proceso, incluso durante el período de retirada de la droga.

Pero, antes de que salgas corriendo a ver a un hipnoterapeuta, déjame aclararte algo. La hipnoterapia es un modo de comunicación. Si el mensaje comunicado es erróneo, no dejarás de fumar. No voy a criticar al hombre a quien yo consulté; estaría ahora muerto si no le hubiera ido a ver. Pero aquello sucedió «a pesar de él» y no «por él». Tampoco quiero que parezca que quiero atacar a la hipnoterapia; al contrario, yo la uso también como parte de mi tratamiento. Ese poder de sugestión y esa poderosa fuerza pueden ser usados para lo bueno y para lo malo. Nunca te sometas a una sesión de un hipnoterapeuta si no te lo ha recomendado personalmente alguien a quien conoces bien y en quien confías.

En aquellos años horrorosos como fumador, creía que mi vida dependía de aquellos cigarrillos y estaba dispuesto a morir antes que estar sin ellos. Hoy la gente me pregunta si alguna vez siento algún deseo de fumar. La respuesta es «nunca, nunca, nunca», más bien lo contrario. He tenido una vida maravillosa. Si hubiera muerto por fumar, no podría haberme quejado. He tenido mucha suerte en la vida, pero lo más maravilloso de todo ha sido liberarme de esa pesadilla, esa esclavitud de estar destruyendo sistemáticamente mi cuerpo y de pagar un dineral por el privilegio.

Quisiera dejar claro desde un principio que no soy una figura mística. No creo en los magos ni en las hadas. Tengo una mente científica y no entendía lo que a primera vista pareció cosa de magia. Empecé a leer sobre la hipnosis y el fumar. Nada de lo que leí parecía explicar el milagro que había ocurrido; ¿por qué había sido tan absurdamente fácil dejarlo, cuando en ocasiones anteriores había supuesto semanas enteras de oscura depresión?

Tardé mucho tiempo en entenderlo, fundamentalmente porque miraba la cuestión al revés. Intentaba explicarme por qué había sido tan fácil dejarlo, cuando el verdadero problema es comprender, por qué los fumadores lo suelen encontrar tan difícil. Los fumadores hablan de la terrible ansiedad por la retirada de la nicotina, pero cuando miraba hacia atrás e intentaba recordar dicha ansiedad, me di cuenta, no había existido. No hubo ningún dolor físico, estaba todo en la mente.

Ahora me dedico profesionalmente a ayudar a otros que quieren dejar de fumar. Tengo muchísimo éxito. He ayudado a miles de fumadores y quisiera dejar claro desde el principio que el fumador empcdernido no existe. Todavía no he conocido a nadie que estuviera tan fuertemente enganchado, o, mejor dicho, que se creyera tan fuertemente enganchado como lo estuve yo. Cualquier persona puede no sólo dejar de fumar, sino también encontrarlo fácil. En el fondo es el miedo lo que hace que sigamos fumando. El miedo a no poder nunca más disfrutar tanto de la vida sin los cigarrillos, y el miedo a sentirse privado de algo. Nada más lejos de la verdad. Sin tabaco, no sólo disfrutarás igual de la vida, sino muchísimo más, y, por añadido, de mejor salud, más energía y dinero ahorrado, como poco.

Todos los fumadores pueden encontrar fácil dejar de fumar —¡incluso tú!—. Lo único que tienes que hacer es leer el resto de este libro con la mente abierta. Cuanto más lo comprendas, más fácil lo encontrarás. Incluso cuando no entiendas algo, sigue siempre las instrucciones y lo encontrarás fácil. Lo más importante es no ir por la vida anhelando melancólicamente un cigarrillo, ni sintiéndote privado de algo. El único misterio será, por qué fumaste durante tanto tiempo.

Una advertencia. Con mi método sólo puedes fracasar por dos motivos:

1. NO SEGUIR LAS INSTRUCCIONES: El que sea tan dogmático en algunas de mis recomendaciones, molesta a algunas personas. Por ejemplo, te diré que no intentes reducir el consumo, y que no uses sustitutos como caramelos, chicles, parches, etc. (en especial ningún producto que contenga nicotina). La razón por la que soy tan dogmático es porque conozco este tema a fondo. No niego que haya muchas personas que hayan dejado de fumar utilizando trucos de este tipo, pero habrán podido hacerlo a pesar de ellos, no gracias a ellos. Hay gente que sabe hacer el amor de pie en una hamaca, pero no es la forma más fácil. Todo lo que yo te diga tiene su razón de ser para hacértelo más fácil y asegurar el éxito.

2. NO COMPRENDER: No te creas nada sin pensarlo. Cuestiona no sólo lo que yo te diga, sino también tus propias opiniones y todo lo que la sociedad te ha enseñado acerca del fumar. Por

ejemplo, los que creéis que es simplemente un hábito, debéis preguntaros si realmente lo es. Pregúntate por qué hay otras costumbres fáciles de romper, algunas de ellas agradables. ¿Por qué, entonces, es tan difícil romper un hábito que sabe fatal, nos cuesta un dineral y nos mata?

Los que pensáis que disfrutáis de los cigarrillos, preguntaos por qué hay otras cosas en la vida, mucho más agradables, de las que uno puede prescindir sin traumas. ¿Por qué, con los cigarrillos, tienes que tenerlos, y si no los tienes entras en un estado de pánico?

Capítulo 2

El método fácil

El objetivo de este libro es preparar la mente para que, en lugar del método normal, según el cual dejas de fumar con la sensación de escalar el Everest y pasas las semanas siguientes deseando fumar un pitillo y envidiando a los otros fumadores, puedas empezar desde el principio con una sensación de euforia, como si te hubieran curado de una enfermedad atroz. A partir de este momento, y a medida que vas avanzando por la vida, mirarás los cigarrillos y te preguntarás cómo pudiste empezar a fumarlos. Verás a los demás fumadores, no con envidia, sino con lástima.

Si no eres no-fumador o ex fumador, es imprescindible que sigas fumando hasta que termines el libro del todo. Esto puede parecer contradictorio. Más tarde explicaré que el tabaco no hace nada en absoluto por ti. Es cierto, uno de los misterios del fumar es que mientras estamos fumándonos un pitillo, lo miramos y nos preguntamos por qué lo hacemos. Es sólo en el momento en que nos encontramos privados de ellos cuando los cigarrillos adquieren cierto valor para nosotros. Sin embargo, vamos a aceptar, te guste o no, que crees que estás enganchado. Cuando estás enganchado, nunca puedes relajarte del todo ni concentrarte si no estás fumando. Por tanto, no intentes dejar de fumar hasta que hayas terminado todo el libro. Conforme sigas leyendo, tus ganas de fumar irán disminuyendo. No arranques a medio gas; podría ser catastrófico. Recuerda que lo único que tienes que hacer es seguir las instrucciones.

Con la ventaja de cinco años de críticas y comentarios desde la publicación del libro, al principio, este consejo de seguir fumando me ha causado más frustracio-

nes que ningún otro (si dejamos de lado el capítulo veintiocho, *Elegir el momento idóneo).* Cuando dejé de fumar por primera vez muchos de mis familiares y amigos
también lo dejaron, sólo porque yo lo había hecho. Pensaron: «Si él puede, cualquiera puede.» Con el paso del
tiempo, a través de sutiles indicios logré convencer a
quienes seguían fumando de lo bien que uno se siente al
liberarse. Cuando se publicó el libro, distribuí ejempla-
res entre los más empedernidos. Partía del supuesto de
que, aunque fuese el libro más aburrido, iban a leerlo,
aunque sólo fuese porque lo había escrito un amigo. Me
sentí asombrado y decepcionado al enterarme, unos meses más tarde, de que ni siquiera habían terminado de
leerlo. Llegué a descubrir que quien entonces era mi mejor amigo, no sólo había ignorado el libro original con
mi firma, sino que además lo había regalado. Me dolió
en ese momento, pero había subestimado el terrible miedo que la esclavitud al tabaco genera en los fumadores.
Puede ir más allá de la amistad y casi provoqué el divorcio debido a ello. Mi madre llegó a decirle a mi mujer: «¿Por qué no le amenazas con abandonarle si no
deja de fumar?» A lo que mi mujer respondió: «Porque
me dejaría si lo hiciera.» Me avergüenza admitirlo, pero
creo que tenía razón. Tan fuerte es el miedo que crea el
cigarrillo.

Ahora me doy cuenta de que muchos fumadores no
llegan al final del libro porque se sienten obligados a dejar de fumar sin falta en el momento de terminar el libro. Algunos hasta leen un solo renglón por día para pos-
poner la llegada de ese día. Soy consciente de que muchos
lectores se ven obligados a leerlo para no defraudar a
quienes les quieren. Míralo así: ¿Qué puedes perder? Si
no dejas de fumar al final del libro, no estarás peor que
ahora. ¡NO TIENES ABSOLUTAMENTE NADA QUE
PERDER Y TANTO QUE GANAR! A propósito, si no

has fumado nada en los últimos días o semanas, pero no estás seguro de si eres un fumador, ex fumador o no-fumador, no fumes mientras leas este libro. En realidad, ya eres no fumador. Todo lo que queda por hacer es permitir que tu mente alcance tu cuerpo. Al llegar al final del libro serás un no-fumador feliz.

Básicamente, mi método es justamente lo contrario del método *normal* para intentar dejar de fumar. El método normal consiste en hacer una lista de las muchas desventajas del fumar y luego decirse a uno mismo: «Si puedo aguantar sin fumar el tiempo suficiente, al final desaparecerán las ganas de fumar. Entonces podré disfrutar de nuevo de la vida, libre de la esclavitud del tabaco.»

Esto es el procedimiento lógico, y todos los días miles de personas dejan de fumar con variaciones de este método. Sin embargo, es muy difícil tener éxito de esta manera por las siguientes razones:

1. El verdadero problema no es el dejar de fumar. Cada vez que apagas un cigarrillo, estás dejando de fumar. Puede que tengas motivos poderosos el primer día en tu intento de dejarlo y dices: «no quiero fumar más»; en realidad, todos los fumadores los tienen cada día de sus vidas, y los motivos para decir estas cosas son mucho más fuertes de lo que podemos imaginar. El verdadero problema surge al día siguiente, o a los diez días, o a los mil días, cuando en un momento de debilidad, o porque has bebido, o incluso en un momento en que te sientes fuerte, fumas un cigarrillo, y como es, en parte, una drogadicción, ya estás deseando fumarte otro, y de repente eres fumador otra vez.

2. Los informes sobre los males del tabaco para la salud que asustan tanto deberían hacer que lo deje-

mos; nuestra mente racional dice: «Déjalo, eres idiota»; pero la realidad es que este mismo miedo lo hace más difícil. Fumamos, por ejemplo, cuando estamos nerviosos. Dile a un fumador: «El tabaco te está matando», y lo primero que hace es encender un cigarrillo.

3. Todos los motivos tradicionales para dejar de fumar lo hacen más difícil por otras dos razones. *Primero,* porque producen la sensación de sacrificio. Siempre pensamos que nos están obligando a sacrificar nuestro amiguito, o nuestra ayuda, nuestro único vicio, nuestro único placer o como el fumador quiera llamarlo. *Segundo,* porque crea una cortina de humo. No fumamos por las razones por las que deberíamos dejarlo, sino que la verdadera cuestión es ¿por qué queremos o necesitamos hacerlo?

El método EASYWAY es fundamentalmente este: empezar olvidando las razones que nos empujan a dejar de fumar; luego, enfrentarnos al problema del tabaco y hacernos las siguientes preguntas:

1. ¿Qué beneficio me proporciona?
2. ¿Realmente disfruto de ello?
3. ¿Es realmente necesario seguir mi vida, pagando un dineral para poder enchufarme estas cosas en la boca y asfixiarme?

La maravillosa verdad es que el tabaco no proporciona absolutamente ningún beneficio. Quiero que quede bien claro, las desventajas del fumar son mayores que las ventajas; todos los fumadores saben eso, desde siempre. Es decir, el fumar no tiene ni una sola ventaja. Lo único que alguna vez tuvo a su favor fue su aceptación social; hoy, incluso los fumadores ven el fumar como un hábito antisocial.

La mayoría de los fumadores sienten la necesidad de racionalizar por qué fuman, pero las conclusiones a las que llegan son falsas e ilusorias.

En primer lugar vamos a hacer desaparecer estas falsedades e ilusiones. Entonces te darás cuenta de que no existe ningún sacrificio. No sólo no hay sacrificio, sino que el ser no-fumador ofrece unas ventajas maravillosas, entre las cuales las de menos son mejorar la salud y tener más dinero. Una vez hayas superado la falsa idea de que no se disfruta tanto de la vida sin tabaco y te des cuenta de ello, no sólo disfrutarás más, sino infinitamente más de la vida sin tabaco, al erradicar la sensación de sacrificio o de privación; entonces podemos volver a las cuestiones de salud y dinero, y a docenas de otras razones para dejar de fumar. Estos argumentos se convertirán en razones positivas adicionales para ayudarte a alcanzar lo que verdaderamente deseas: disfrutar enteramente de tu vida, libre de la esclavitud del tabaco.

Capítulo 3

¿Por qué resulta tan difícil dejar de fumar?

Como ya expliqué antes, este asunto empezó a interesarme a causa de mi propia adicción. Cuando finalmente lo dejé, fue algo como de magia. En ocasiones anteriores, cuando había intentado dejarlo, me había supuesto semanas enteras de oscura depresión. Hubo días en los que estaba relativamente alegre, y al día siguiente la depresión otra vez. Era como intentar salir de un pozo fangoso: veía que estaba cerca del borde, veía la luz del sol, luego resbalaba y caía otra vez al fondo. Al final, enciendes un pitillo, sabe fatal, intentas explicarte por qué demonios lo haces.

Una de las preguntas que siempre hago a los fumadores antes de la sesión es: «¿Quieres dejar de fumar?» En cierta manera, es una pregunta estúpida. Todos los fumadores quieren dejar de fumar (incluso miembros de la Asociación de Fumadores). Si le dices al fumador más empedernido: «Si pudieras volver atrás, antes de comenzar a fumar, sabiendo lo que sabes ahora, ¿volverías a empezar?» La respuesta siempre es: «DE NINGUNA MANERA.»

Dile al fumador más firme, es decir, aquel que no lo considera peligroso para su salud, que no está preocupado por el reproche social y que tiene dinero suficiente (ya no queda mucha gente de esa): «¿Animas a tus hijos para que fumen?», la respuesta: «DE NINGUNA MANERA.»

Todos los fumadores padecen la sensación de que algo malvado les ha agarrado. Al principio dicen: «Lo dejaré, pero hoy, no. Mañana, tampoco. Ya veremos.» Al final, llegamos al punto en que creemos nos falta la fuerza de voluntad o que hay algo en el tabaco que nos hace disfrutar de la vida.

Como ya dije, el problema no está en explicar lo fácil que es dejarlo, *sino en explicar por qué es difícil.* En realidad, el verdadero problema está en explicar por qué la gente se deja enganchar al principio, o cómo fue posible que, no hace mucho, más del 60 por 100 de la población fumara.

Todo lo relacionado con el fumar es un enigma extraordinario. La única razón por la que empezamos es porque hay miles de personas que fuman. Pero cada una de ellas desearía no haber empezado nunca, y nos dicen que es un despilfarro de tiempo y de dinero. Nos cuesta creer que no es un placer para ellos. Lo asociamos con el ser adulto y hacemos grandes esfuerzos para conseguir engancharnos. Luego pasamos el resto de nuestra vida diciéndoles a nuestros propios hijos que no empiecen, e intentando dejarlo nosotros mismos.

También pasamos el resto de la vida rascándonos el bolsillo. El fumador medio gastará entre tres y seis millones de pesetas en tabaco a lo largo de su vida, según precios actuales. ¿Qué es lo que hacemos con este dinero? No sería tan malo que lo tirásemos por el desagüe. Lo utilizamos para conseguir una sistemática congestión de nuestros pulmones a base de alquitranes cancerígenos, una progresiva obstrucción y envenenamiento de nuestro sistema circulatorio. Cada día privamos un poco más a nuestros músculos y órganos del oxígeno vital, y por tanto cada día nuestro letargo es mayor. Nos sentenciamos a una vida de suciedad, mal aliento, dientes manchados, ropa quemada, ceniceros asquerosos y el olor repulsivo a humo viejo. Es una vida entera de esclavitud. Pasamos la mitad de nuestra vida en sitios en los que la sociedad nos impide fumar, como son las iglesias, los hospitales, los colegios, el Metro, los teatros, etc.; o en situaciones en las que nosotros mismos estamos intentando reducir nuestro consumo o quitárnoslo por completo, sintiéndonos privados de algo. El resto de nuestra vida fumadora lo pasamos en situaciones en las que nos está permitido fumar, pero en las que preferiríamos no tener que hacerlo.

¿Qué clase de *hobby* es este, que cuando lo estás practicando preferirías no estar haciéndolo y cuando no lo puedes hacer, darías lo que fuera por un cigarrillo? Durante parte de tu vida, la mitad de la sociedad te trata como si fueras una especie de leproso y, lo que es peor, eres, en otros aspectos, un ser humano inteligente y racional, que pasas por la vida siendo despreciado. El fumador se desprecia a sí mismo cada vez que sube el precio del tabaco; en el Día Nacional Anti-tabaco; cada vez que sin querer lee en el paquete el aviso de que el tabaco perjudica la salud o que tiene dificultad para respirar; cada vez que le asusta un informe sobre el cáncer; que hay una campaña contra el mal aliento; que se congestiona o que tiene un dolor en el pecho; cada vez que se encuentra rodeado de no-fumadores. Está condenado a llevar una vida amenazada por estas sombras oscuras en el fondo de su mente, y ¿qué consigue a cambio? ¡NADA EN ABSOLUTO! ¿Placer? ¿Disfrute? ¿Sosiego? ¿Apoyo? ¿Estímulo? Todo falsas ilusiones, a menos que consideres un placer el llevar zapatos demasiado estrechos para poder disfrutar del momento en que te los quitas.

Como ya he dicho, el verdadero problema es intentar explicar no sólo por qué los fumadores tienen dificultad para dejarlo, sino también por qué la gente fuma.

Ahora me imagino que me dirás: «Todo esto está muy bien. Aquí no hay nada nuevo. Pero una vez que te has dejado enganchar por estas cosas es muy difícil quitártelas. ¿Por qué es tan difícil, y por qué nos vemos obligados a seguir fumando?» Los fumadores buscan las respuestas a estas preguntas durante toda su vida.

Algunos dicen que es por la terrible ansiedad producida por la retirada de la nicotina. En realidad, estos síntomas son tan leves (ver capítulo 6) que la mayoría de los fumadores viven y mueren sin darse cuenta de que son drogadictos.

Otros dicen que se disfruta mucho con los cigarrillos. Esto no es cierto; son sucios y asquerosos. Al fumador que cree que sólo fuma porque le gusta, pregúntale si prescinde de fumar cuando no encuentra la marca de tabaco que le gusta y la única que hay es una que le resulta desagradable. Los fumadores fumarían cualquier porquería antes que prescindir de ello. El disfrute no tiene nada que ver. Yo, personalmente, disfruto comiendo langosta, pero nunca llegué a tal punto de tener que llevar veinte langostas colgadas del cuello. Con otras muchas cosas en la vida, podemos disfrutar mientras las estamos haciendo, pero no nos sentimos angustiados cuando no las podemos hacer.

Algunos buscan razones psicológicas profundas: «el síndrome de Freud», «el niño, al pecho de su mamá». Pero es justo lo contrario. Normalmente empezamos a fumar para demostrar que somos adultos, que hemos salido de la niñez. Si tuviéramos que llevar un chupete en la boca en público, nos moriríamos de vergüenza.

Otros piensan que es lo contrario, el efecto de «macho» echando humo y fuego por la nariz. Otro argumento sin fundamento; un cigarrillo encendido metido en la oreja parecería ridículo. ¡Cuánto más ridículo llenar los pulmones de alquitranes cancerígenos!

Algunos dicen: «Es que así tengo algo que hacer con mis manos.» Entonces, ¿para qué encenderlo?

— «Es la satisfacción de llevar algo en la boca.» Entonces, ¿para qué encenderlo?
— «Es la sensación de cómo entra el humo en mis pulmones.» Una sensación atroz. Se llama asfixia.

Muchos creen que mitiga el aburrimiento. Otra falsedad. El aburrimiento es un estado mental.

Durante veinticinco años yo me autojustificaba diciendo que el tabaco me relajaba, me daba confianza y valor. También sabía que me estaba matando y que me costaba un dineral. ¿Por qué no fui al médico para pedirle alguna otra cosa que me diera valor y confianza, o me relajara? No fui porque sabía que me ofrecería una alternativa. No era una razón, era mi excusa.

Algunos dicen que lo hacen sólo porque lo hacen sus amigos. ¿Eres de verdad tan imbécil? Si lo eres, ponte a rezar para que tus amigos no empiecen a cortarse la cabeza para curársela cuando les duele.

La mayoría de los fumadores, que lo piensan en serio, llegan a la conclusión de que es un simple hábito. Esto no es una verdadera explicación, pero descontadas todas las explicaciones normales racionales parece ser la única excusa que queda.

Desgraciadamente es una explicación igualmente ilógica. Cambiamos de hábitos todos los días, y algunos de ellos proporcionan verdadero placer. Yo sigo teniendo hábitos en el comer que empezaron en mis tiempos de fumador. Ni desayuno, ni como, sólo ceno. Sin embargo, cuando me voy de vacaciones, mi comida favorita del día es el desayuno. El día que vuelvo a casa, también vuelvo a mis costumbres anteriores sin el menor esfuerzo.

¿Por qué seguimos con un hábito que sabe fatal, nos mata, nos cuesta un dineral, es sucio y asqueroso y que estamos deseando dejar, cuando lo único que tenemos que hacer es dejar de hacerlo? ¿Por qué es tan difícil? La respuesta es que no lo es. Una vez que comprendas las verdaderas razones por las que fumas, dejarás de hacerlo —así de sencillo—, y al cabo de tres semanas como mucho, el único misterio será el porqué habías estado fumando tanto tiempo.

SIGUE LEYENDO.

Capítulo 4

La trampa siniestra

El fumar es la trampa más sutil y más siniestra que existe en la Naturaleza. El hombre no podría concebir una trampa tan ingeniosa. ¿Qué es lo que nos hace caer en ella desde el principio? Los miles de adultos que ya fuman. Ellos nos advierten, incluso, del hábito sucio y repulsivo que acabará destruyéndonos y del dinero malgastado; pero no podemos creer que no se lo pasen bien fumando. Uno de los muchos aspectos patéticos del fumar es cuánto esfuerzo empleamos para conseguir engancharnos.

Es la única trampa de la Naturaleza que no tiene cebo alguno. Lo que hace saltar la trampa no es que los cigarrillos sepan maravillosamente, sino el hecho de que saben horribles. Si ese primer cigarrillo supiera maravilloso, empezarían a sonar alarmas, y como seres humanos inteligentes, comprenderíamos por qué la mitad de la población adulta está pagando un dineral para envenenarse. Pero como ese primer cigarrillo sabe tan mal, nuestras jóvenes mentes creen estar seguras de que nunca nos engancharemos, y creemos que como no disfrutamos de los cigarrillos, podremos dejarlos cuando nos apetezca.

Es la única droga de la Naturaleza que nunca te permite conseguir lo que te propones. Los chicos suelen empezar porque quieren parecer «duros» —la imagen de Humphrey Bogart o de Clint Eastwood—; pero lo último que sientes cuando fumas el primer cigarrillo es que eres «duro». No te atreves a tragar el humo; si te fumas demasiados, primero te mareas y luego tienes ganas de vomitar. Lo único que quieres hacer es alejarte de los demás chicos y tirar esas asquerosidades.

En las mujeres, es el deseo de parecer una chica sofisticada y moderna lo que les hace empezar. Todos las hemos visto dando caladitas, con un aire totalmente ridículo. Cuando los chicos por fin han aprendido a parecer «duros» y las chicas sofisticadas, ya hubieran preferido no haber empezado nunca.

Luego nos pasamos la vida intentando entender por qué lo hacemos, diciéndoles a nuestros hijos que no se dejen atrapar, y, de vez en cuando, intentando salir nosotros mismos de la trampa.

La trampa está diseñada de tal forma que sólo se intenta salir de ella cuando nuestra vida está en un momento de estrés, sea porque estamos mal de salud, nos falta dinero, o porque sentimos que la gente nos rechaza como si fuéramos leprosos.

En cuanto lo dejamos, sentimos más estrés todavía (con la tan temida ansiedad por la retirada de la nicotina) y ahora, además, tenemos que prescindir de lo único de que dependemos para aliviar el estrés (nuestro apoyo y viejo amigo, el cigarrillo).

Al cabo de unos cuantos días de tortura, decidimos que hemos elegido un mal momento, que debemos esperar hasta que haya un período sin estrés; y en cuanto llega ese día desaparece la motivación que nos empujaba a dejarlo. Desde luego tal período no llegará nunca, porque pensamos que nuestras vidas se van llenando de más y más estrés. En cuanto dejamos el hogar protegido de nuestros padres, empieza el proceso normal de montar una casa, pedir créditos, tener hijos, más responsabilidad en el trabajo, etc. Esto también son imaginaciones. La realidad es que el período con más estrés en la vida de cualquier ser es la niñez y la adolescencia. Tendemos a confundir la responsabilidad con el estrés. Para el fumador el estrés aumenta automáticamente, porque el tabaco no le relaja, ni disminuye los efectos del estrés, como la sociedad intenta hacerte creer. Es lo contrario: son los cigarrillos los que nos ponen más nerviosos y deprimidos.

Incluso fumadores que dejan de fumar (la mayoría de ellos lo consiguen una o más veces a lo largo de su vida) pueden vivir perfectamente felices y luego de repente volverse a enganchar.

Todo lo relacionado con el fumar es como errar por un laberinto gigantesco. En el momento en que entramos en el laberinto se nos nubla la mente, y pasamos el resto de la vida intentando escapar. Muchos, al final, lo conseguimos, para volver a quedar atrapados más tarde.

Yo estuve treinta y tres años intentando escapar del laberinto. Al igual que los demás fumadores, tampoco lo entendía. Sin embargo, debido a una serie de circunstancias extraordinarias, que no implican ningún mérito por mi parte, quise saber por qué durante tanto tiempo había sido tan endemoniadamente difícil quitármelo, y por qué, cuando finalmente lo hice, me resultó no sólo fácil, sino también agradable.

Desde que dejé de fumar, el *hobby* de mi vida, y últimamente mi profesión, ha sido buscar las respuestas a las muchas cuestiones espinosas relacionadas con el fumar. Es un rompecabezas complicado y fascinante, como el famoso cubo de Rubick; casi imposible de resolver. Sin embargo, igual que cualquier tipo de rompecabezas complicado, es fácil cuando sabes la solución. Yo te guiaré para salir del laberinto y me cuidaré de que nunca vuelvas a entrar en él. Lo único que tienes que hacer es *seguir las instrucciones*. Si no sigues una de las instrucciones, las demás no servirán de nada.

Quisiera dejar claro que cualquier persona puede encontrar fácil dejar de fumar, pero primero tenemos que establecer los hechos reales en cuanto al fumar. No me refiero a los hechos aterrorizadores relacionados con la salud, sé que eres consciente de ellos. Ya hay muchas cosas publicadas sobre los males y los peligros asociados con el fumar. Si eso fuera suficiente, ya lo habrías dejado. Me refiero a la pregunta: ¿por qué nos resulta tan difícil dejarlo? Para contestar esta pregunta tenemos que saber cuál es la verdadera razón por la que seguimos fumando.

Capítulo 5

¿Por qué seguimos fumando?

Todos empezamos a fumar por razones estúpidas, normalmente por presiones o situaciones sociales; pero, una vez que nos damos cuenta de que nos estamos enganchando, ¿por qué seguimos fumando?

Ningún fumador sabe por qué fuma. Si se diera cuenta de cuál es la verdadera razón, dejaría de hacerlo. Es una pregunta que he hecho a miles de fumadores en mis sesiones. La respuesta verdadera es la misma para todos, pero hay una gama muy variada y casi infinita de respuestas dadas por cada individuo. Esta parte de la sesión es la que encuentro al mismo tiempo la más divertida y la más trágica.

Todos los fumadores saben en el fondo de su corazón que hacen el primo. Saben que no sentían ninguna necesidad de fumar antes de engancharse. La mayoría recuerdan que su primer cigarrillo supo fatal y que tuvieron que hacer un esfuerzo para engancharse. La cosa que más les molesta es que intuyen que los no-fumadores no están echando nada de menos y que se ríen de ellos (es difícil no reírse cuando sube el precio del tabaco). Sin embargo, los fumadores son seres humanos inteligentes y racionales. Saben que están corriendo unos riesgos enormes con su salud y que a lo largo de su vida se gastan un dineral en tabaco. Por tanto, necesitan buscar una explicación racional para justificar su estupidez.

Las verdaderas razones por las que los fumadores siguen fumando son una sutil combinación de los factores que trataré de describir en los dos capítulos siguientes. Son:

1. LA ADICCIÓN A LA NICOTINA.
2. EL LAVADO DE CEREBRO Y EL SOCIO OCULTO.

Capítulo 6

La adicción a la nicotina

La nicotina es un compuesto incoloro y aceitoso, es la droga que existe en los cigarrillos y es la que produce la adicción en el fumador. Es la droga adictiva más rápida conocida por la ciencia, y a veces un solo cigarrillo es suficiente para engancharte.

Cada calada de un cigarrillo lleva al cerebro, a través de los pulmones, una pequeña dosis de nicotina que actúa más rápidamente que la dosis de heroína que se inyecta en la vena un heroinómano.

Si sacas veinte caladas de cada cigarrillo, un solo cigarrillo te proporciona veinte dosis.

La nicotina es una droga de actuación rápida, y el nivel de nicotina en la sangre disminuye aproximadamente a la mitad a los treinta minutos de apagarse el cigarrillo, y a la cuarta parte después de una hora. Esto explica por qué la mayoría de los fumadores consume unos veinte cigarrillos diarios.

En cuanto el fumador apaga el cigarrillo, la nicotina empieza rápidamente a ser expulsada del cuerpo y el fumador empieza a sentir las molestias de la privación de la droga: el *mono*.

Llegados a este punto, me veo obligado a destruir otro concepto falso, muy extendido entre los fumadores, acerca de las molestias causadas por la retirada de la droga. El fumador cree que el mono es el terrible trauma que padece cada vez que trata de dejar de fumar o cuando lo tiene que dejar por obligación. En realidad dicha ansiedad es solamente psicológica. Se debe a que el fumador se siente privado de su placer o apoyo. Daré más explicaciones más adelante.

En realidad, las molestias producidas por la retirada de la nicotina son tan leves que la mayoría de los fuma-

dores viven y mueren sin darse cuenta de que son drogadictos. Cuando utilizamos el término adicto a la nicotina
creemos que sólo significa que hemos cogido el hábito. A
la mayoría de los fumadores les horrorizan las drogas; sin
embargo, eso es exactamente lo que son: drogadictos.
Afortunadamente, es una droga fácil de dejar, pero primero
tienes que aceptar el hecho de que eres adicto.

Las molestias causadas por la retirada de la nicotina
no suponen ningún dolor físico. Es solamente una sensación de vacío, de desasosiego, de que falta algo, lo cual
explica por qué muchos fumadores creen que tiene algo
que ver con la sensación de no saber qué hacer con las manos. Si se prolonga este estado, el fumador se vuelve nervioso, inseguro, intranquilo; le falta confianza y se irrita
con facilidad. Es una especie de hambre, no por la comida, sino por un veneno: LA NICOTINA.

A los siete segundos de encenderse un nuevo cigarrillo, el cuerpo recibe una nueva dosis, y la molestia acaba, lo que resulta es una sensación de relax y confianza
que el cigarrillo proporciona al fumador.

Al principio, cuando empezamos a fumar, la sensación de ansiedad y su alivio son tan leves que ni siquiera
nos damos cuenta de su existencia. Cuando empezamos
a fumar con regularidad creemos que es porque nos ha
llegado a gustar, o simplemente que hemos cogido el hábito. La verdad es que ya estamos enganchados; no nos
damos cuenta, pero el pequeño monstruo de la nicotina
se ha instalado en nuestras tripas y hay que darle de comer de forma regular.

Todos los fumadores empezamos a fumar por razones tontas; nadie está obligado a hacerlo. La única razón
por la cual seguimos fumando, fumemos mucho o poco,
es para alimentar a este monstruo.

Todo lo relacionado con el fumar es una serie de enig-
mas. Todos los fumadores saben, en el fondo de su co-

razón, que están haciendo el primo y que algo malvado les ha atrapado. Sin embargo, estoy convencido de que lo más trágico del fumar es que la sensación de disfrute que el fumador recibe del cigarrillo no es ni más ni menos que el placer de intentar volver al estado de paz, tranquilidad y confianza en el que vivía su cuerpo antes de engancharse.

Tienes esa misma sensación cuando la alarma antirrobos de tu vecino lleva todo el día sonando, o cualquier otra molestia trivial, y de repente el ruido cesa: entonces experimentas una sensación maravillosa de paz y tranquilidad. En realidad no es paz; es el acabar con la molestia.

Antes de enrollarnos en la cadena de la nicotina, nuestros cuerpos están completos. Luego introducimos la nicotina en el cuerpo a la fuerza y cada vez que apagamos un cigarrillo y la nicotina empieza a eliminarse, sentimos la ansiedad, el *mono*. No hay ningún dolor físico, es simplemente una sensación de vacío. Ni siquiera nos damos cuenta de su existencia, pero es como un grifo que gotea dentro del cuerpo. Nuestra mente racional no lo entiende, ni falta que le hace. Lo único que sabemos es que queremos otro cigarrillo, y cuando lo encendemos desaparece la ansiedad. Por el momento estamos otra vez contentos y seguros de nosotros mismos, como lo estábamos antes de convertirnos en adictos. Pero esta satisfacción no dura mucho, porque para aliviar la sensación de vacío, tienes que meter más nicotina en el cuerpo. En cuanto apagas ese cigarrillo, la ansiedad empieza de nuevo, y así sigue la cadena. Es una cadena para toda la vida... A MENOS QUE LA ROMPAS.

En realidad, todo esto de fumar es como llevar zapatos demasiado estrechos con el único fin de poder sentir un placer cuando te los quitas. Existen tres razones principales que impiden que los fumadores lo vean así:

1. No hay ningún dolor físico identificable. Es sólo una sensación.
2. Ocurre al revés. Por eso resulta difícil quitarse de cualquier droga. Sólo cuando no fumas, sufres la sensación; por tanto, no le echas la culpa al cigarrillo. Cuando enciendes uno te alivia, entonces has estado engañándote al creer que el cigarrillo te proporciona algún tipo de placer o apoyo moral.
3. El masivo lavado de cerebro al que estamos sometidos desde el nacimiento. Aunque nuestras vidas estuviesen completas antes de empezar a fumar, no nos sorprende descubrir que, una vez que hemos aprendido a fumarlos, los cigarrillos sí nos ayudan y sí son un placer. ¿Para qué cuestionarlo? Ahora formamos parte de los fumadores felices.

Aquí convendría quizás destruir algunos conceptos falsos en cuanto al fumar. No es ningún hábito; el hábito ni siquiera existe. Tenemos toda clase de hábitos durante nuestra vida, y algunos de ellos dan mucho placer. Un hábito que, lejos de ser placentero, es de un sabor repugnante, nos mata, nos cuesta una fortuna, que consideramos sucio y repulsivo, y del cual nos gustaría liberarnos a toda costa, debería ser absurdamente fácil de romper. ¿Por qué lo encontramos tan difícil entonces? La respuesta es que no es un hábito, sino adicción a una droga. Primero tenemos que hacer un esfuerzo para engancharnos a la droga. Al poco tiempo no sólo compramos cigarrillos con regularidad, sino que también llegan a ser *imprescindibles.* Cuando no podemos tenerlos, entramos en un estado de pánico, y conforme pasa el tiempo tenderemos a fumar más y más.

Esto ocurre, como ocurre con todas las drogas que producen adicción, porque nuestro cuerpo se va haciendo más inmune a los efectos de la nicotina y necesitamos una dosis progresivamente más alta para sentir el mismo efecto. Al cabo de un período de tiempo relativamente corto el cigarrillo ya no alivia completamente el *mono* que crea, de forma que, cuando enciendes uno, te encuentras mejor que hace un momento, pero estás todavía más nervioso y menos relajado que un no-fumador y esto incluso mientras estás fumando el cigarrillo. En la práctica, pues, es todavía más absurdo que el llevar zapatos muy estrechos, porque con los años va quedando cada vez más dolor acumulado, aun después de quitarte los zapatos.

Es peor aún, porque, cuando apagas el cigarrillo, la nicotina empieza a salir rápidamente del cuerpo; esto explica por qué, en las situaciones de mucho estrés, el fumador tiende a fumar en cadena: uno detrás de otro.

Como ya dije, el hábito ni siquiera existe. La razón por la que todos los fumadores siguen fumando es el «monstruito de la nicotina» que tienen alojado en las tripas. Hay que darle de comer con regularidad. El fumador es el que decide *cuándo* se le da de comer, y suele ser en uno de estos cuatro tipos de situación o en una combinación de ellos:

ABURRIMIENTO/CONCENTRACIÓN - ¡Dos
estados totalmente opuestos!
ESTRÉS/RELAJACIÓN - ¡Dos estados totalmente
opuestos!

¿Qué droga mágica puede de repente producir un efecto opuesto al que produjo veinte minutos antes? Piénsatelo, ¿qué otro tipo de estado existe, aparte del dormir? La verdad es que los cigarrillos ni alivian el aburrimiento, ni el estrés, ni promueve la concentración, ni la relajación. Todo es sólo una ilusión.

Además de ser una droga, la nicotina es un potente veneno que se utiliza en los insecticidas (búscalo en el diccionario). La cantidad contenida en un solo cigarrillo te mataría si te la inyectaran directamente en vena. En realidad, el tabaco contiene muchos venenos, incluido el monóxido de carbono.

Por si estás soñando en cambiar a los puros o a una pipa, quiero dejar claro que todo lo que digo en este libro se aplica a todas las formas del tabaco.

El cuerpo humano es el organismo más sofisticado y desarrollado que existe en este planeta. Ninguna especie, ni siquiera las más inferiores, los gusanos y las amebas, puede sobrevivir si no sabe distinguir entre lo que es alimento y lo que es el veneno.

Durante un proceso de selección natural a lo largo de millones de años, nuestra mente y nuestro cuerpo han desarrollado una serie de técnicas para distinguir entre alimentos y venenos, y métodos sin fallos para desechar estos últimos.

A todos los seres humanos les resultan desagradables el sabor y el olor del humo del tabaco, hasta que nos enganchamos. Si soplas el humo a la cara de cualquier niño o animal antes de que se enganche, toserá incontrolablemente.

El día que fumamos aquel primer cigarrillo e intentamos tragarnos el humo, esto nos produjo un ataque de tos, y si fumábamos mucho, nos mareábamos e incluso llegábamos a devolver. Era nuestro cuerpo que nos decía: «ME ESTÁS ADMINISTRANDO VENENO, ¡PARA!» Muchas veces, es en ese momento en el que se decide si vamos a ser fumadores o no. No es cierto que son los de poca voluntad, o los que físicamente son débiles, los que se enganchan. Los que tienen suerte son los que encuentran repulsivo ese primero cigarrillo. Físicamente sus pulmones no pueden con el humo, y están curados para toda la vida. O bien, mentalmente no están dispuestos a pasar, por el duro proceso de aprendizaje, para conseguir tragar el humo sin toser.

Para mí, esta es la parte más trágica de todo el proceso, el esfuerzo en engancharnos; y por eso es tan difícil convencer a los adolescentes de que lo dejen. Como todavía están aprendiendo a fumar, y como los cigarrillos todavía les saben fatal, creen que podrán parar cuando quieran. ¿Por qué no aprenden de nuestros errores? ¿Y por qué no aprendimos nosotros de la experiencia de nuestros padres?

Muchos fumadores creen que les gusta el sabor o el olor del tabaco. Es una ilusión. Lo que en realidad hacemos cuando aprendemos a fumar es enseñar al cuerpo a que se haga inmune a los malos sabores y olores, con tal de conseguir su dosis. Como los heroinómanos, que creen disfrutar inyectándose. En realidad, disfrutan de aliviar el *mono* que la misma droga produce.

El fumador se enseña a sí mismo a cerrar la mente ante el mal olor y sabor del tabaco, para conseguir su dosis de droga. A cualquier fumador que cree que sólo fuma porque le gusta el sabor y el olor pregúntale: «¿Si no encuentras la marca de cigarrillo que normalmente fumas, y sólo hay una que no te gusta, dejas de fumar?» «De ninguna manera.» Un fumador fumará cualquier porquería, antes de prescindir de su droga, y lo mismo da liar los cigarrillos, que cigarrillos mentolados, o puros o una pipa; al principio saben fatal, pero si te empeñas, aprenderás a apreciarlos. El fumador tratará incluso de seguir fumando cuando tiene un constipado, la gripe, una bronquitis o incluso un enfisema.

El disfrutar no tiene nada que ver. Si lo tuviera, nadie fumaría más de un cigarrillo. Hay incluso miles de ex fumadores adictos a ese chicle repulsivo con nicotina que les recetan los médicos. Y muchos de ellos siguen fumando.

En mis sesiones, algunos fumadores se asustan cuando se dan cuenta de que son drogadictos, y piensan que entonces será más difícil todavía dejarlo. No es así, las noticias son buenas por dos motivos importantes:

1. La mayoría seguimos fumando porque, aun sabiendo que es peligroso y que tiene más desventajas que ventajas, estamos convencidos de que hay algo en el tabaco que nos gusta y que nos ayuda. Creemos que si dejamos de fumar habrá un vacío y que algunos aspectos de nuestra vida nunca serán como antes. Esto es una idea equivocada. Lo cierto es que el cigarrillo no da nada; sólo quita, y luego devuelve parcialmente para mantener esa ilusión. Explicaré esto con más detalle en otro capítulo.

2. Aunque la nicotina es de todas las drogas la más fuerte en cuanto a la velocidad con que te engancha, no produce una adicción fuerte. Precisamente por ser una droga rápida, sólo tarda unas tres semanas en eliminarse en un 99 por 100 del cuerpo. Y la ansiedad por la retirada de la nicotina es tan suave que la mayoría de los fumadores viven toda una vida sin darse cuenta de que la padecen.

Me preguntarás con razón por qué, entonces, muchos fumadores encuentran tan difícil dejarlo; por qué hay fumadores que sufren meses de auténtica tortura y que pasan el resto de su vida añorando un cigarrillo de vez en cuando. La respuesta es la segunda razón que hace que sigamos fumando: el lavado de cerebro. La adicción química es fácil de vencer.

La mayoría de los fumadores pasan toda la noche sin fumar; el *mono* ni siquiera les despierta.

Muchos fumadores salen del dormitorio antes de encender el primer pitillo del día: algunos desayunan primero, otros esperan hasta que llegan al trabajo. Pueden sufrir diez horas de *mono* y no les importa. Pero, si tuvieran que estar diez horas sin fumar durante el día, se volverían locos.

Hoy en día hay muchos fumadores que se compran un coche nuevo y nunca fuman dentro de él. Muchos van a la iglesia, al teatro, al supermercado, y no les importa no poder fumar. Ni siquiera la prohibición general en el Metro ha provocado alguna alteración del orden público. A los fumadores casi les gusta que algo o alguien les impida fumar.

Hoy en día muchos fumadores automáticamente se abstendrán de fumar en casa de, o en compañía de un no-fumador, y no sufren mucho. La realidad es que la mayoría de los fumadores pasan por períodos de tiempo relativamente largos, en los que están sin fumar casi sin esfuerzo. Yo mismo a veces estaba tardes enteras relajado y sin fumar, y tan contento. En mis últimos años de fumador, incluso estaba deseando que llegasen esas tardes, para dejar de asfixiarme. ¡Qué hábito más absurdo!

Es fácil hacer frente a la adicción química, incluso cuando sigues siendo adicto, y hay miles de adictos que nunca pasan de ser fumadores ocasionales. Son igual de adictos que los fumadores empedernidos. Incluso existen fumadores empedernidos que han dejado de fumar, pero de vez en cuando se fuman un puro, y eso es suficiente para mantener su adicción.

Como digo, pues, la adicción a la nicotina no es el problema principal. Simplemente actúa como catalizador, para mantener confundida nuestra mente en cuanto al verdadero problema: el lavado de cerebro.

Puede servir de consuelo a los fumadores empedernidos que llevan muchos años fumando saber que es igual de fácil para ellos dejar de fumar que para los fumadores ocasionales. De una manera extraña, es incluso más fácil. Cuanto más fumas, más te destruyes física y mentalmente y mayor es el beneficio cuando lo dejas.

También puede servir de consuelo saber que los rumores que aparecen de vez en cuando, como que «el cuerpo tarde siete años en eliminar la basura» o «cada cigarrillo que fumas te resta doce minutos de vida», no son ciertos.

No creas que se han exagerado los efectos del fumar para la salud. Al contrario, las cifras son bastante conservadoras, pero está claro que eso de los «doce minutos de tu vida» no puede ser más que una estimación, y sólo es aplicable en caso de que ya hayas contraído una de las enfermedades mortales o si te alquitranas hasta que se te para la maquinaria.

Lo cierto es que la basura nunca es expulsada del cuerpo del todo. Mientras existan fumadores, el humo estará en el ambiente, e incluso los no-fumadores absorben una pequeña proporción. Sin embargo, nuestro cuerpo es una máquina increíble, que se recupera de una manera realmente sorprendente, siempre que no tengas una enfermedad irreversible. Si dejas de fumar ahora, tu cuerpo habrá vuelto al cabo de unas semanas casi al estado del de una persona que nunca ha fumado.

Ya he dicho que nunca es demasiado tarde para dejar de fumar. He ayudado a curar a muchos fumadores entre cincuenta y noventa años. Hace poco una señora de noventa y un años acudió a mi centro, junto a su hijo de sesenta y cinco años. Cuando le pregunté por qué había decidido dejar de fumar, me contestó: «Para servirle de ejemplo a él.»

Cuanto más bajo te arrastra el tabaco, mejor te sientes cuando lo dejas. Cuando yo conseguí dejarlo por fin, pasé directamente de cien cigarrillos diarios a CERO, y el famoso *mono* nunca me molestó de verdad. Incluso diría que disfruté de ello, aun durante el período de retirada de la droga.

Lo que sí hay que eliminar es el lavado de cerebro.

Capítulo 7

El lavado de cerebro y el socio oculto

¿Cómo es que empezamos a fumar por primera vez y por qué? Para entender esta cuestión tienes que examinar el efecto poderoso del subconsciente, lo que yo llamo el socio oculto.

Todos tendemos a creer que somos seres humanos inteligentes y dominantes, que controlamos el transcurso de nuestro destino. La realidad es que el 99 por 100 de nuestro ser es pre-formado. Somos sencillamente unos productos de la sociedad en la que hemos sido criados. Esto dicta el tipo de ropa que llevamos, las casas en las que vivimos, el patrón básico de nuestra vida. Incluso crea las opiniones que nos dividen en grupos, por ejemplo, si es mejor un gobierno de izquierdas o uno de derechas. El hecho de que sea la clase obrera la que apoya al primero y las clases medias y altas las que apoyan el segundo, no es mera coincidencia. El subconsciente tiene una influencia extremadamente poderosa en nuestras vidas, y puede engañar a millones de personas, no en cuestión de opinión, sino en cuestiones de hechos concretos. Antes de que la expedición de Magallanes diera la vuelta al mundo, la inmensa mayoría de las personas «sabía» que la Tierra era plana. Hoy «sabemos» que es redonda. Si yo escribiera una docena de libros para convencerte de que es plana, no podría convencerte; pero ¿cuántos hemos salido al espacio para ver que es como una pelota? Aunque hayas dado la vuelta al mundo tú mismo, ¿cómo sabes que no ibas en círculo sobre una superficie plana?

Los agentes de publicidad saben muy bien cuál es el poder de la sugestión sobre el subconsciente. De ahí los enormes carteles que machacan al fumador mientras conduce, los anuncios en todas las revistas. ¿Crees que es dinero tirado al aire, que no te haría comprar tabaco? ¡Estás equivocado! Pruébalo tú mismo. La próxima vez que entres en un bar un día de mucho frío y tu compañero te pregunte qué quieres tomar, en lugar de decir «un coñac» (o lo que sea), adorna lo que dices con: «¿Sabes lo que me apetece hoy? Esa sensación de calor reconfortante que da el coñac.» Verás que incluso personas a las que no les gusta el coñac, se tomarán una copa contigo.

Desde nuestra más tierna infancia, recibimos a través del subconsciente un bombardeo diario de información. Nos dice que el tabaco nos relajará, nos dará valor y confianza en nosotros mismos, y que el placer más apreciado del planeta es un cigarrillo. ¿Crees que exagero? Cuando ves en una película, dibujos animados, una obra de teatro o en la televisión una escena en la que una persona está a punto de ser fusilado, ¿cuál es la última gracia? Sí, señor, un pitillo. El efecto de esta imagen no se siente en la mente, pero el socio oculto tiene tiempo de asimilarlo. El contenido real del mensaje es: «Cuando yo muera, mi último pensamiento, mi última acción será lo que más valor tiene en la vida: fumarme un cigarrillo.» En las películas de guerra, al héroe herido siempre le dan un cigarrillo.

¿Crees que es distinto hoy día? No. Nuestros hijos siguen recibiendo este bombardeo de las vallas publicitarias y de los anuncios en las revistas. Se supone que la publicidad del tabaco está prohibida en la televisión, pero en las horas de mayor audiencia podemos ver a personajes de primera fila tragando humo: entrevistadores y entrevistados, políticos, artistas, intelectuales... Esta es la tendencia más peligrosa de todas, la conexión en los anuncios entre el fumar y el deporte, o entre el fumar y «ser alguien». ¿Los coches de Fórmula 1 llevan nombres de marcas de cigarrillos, o es al revés? He visto un anuncio en la televisión (no anunciaba tabaco) en el que se ve una pareja desnuda en la cama, compartiendo un cigarrillo después del acto sexual. Las implicaciones son obvias.

Son realmente admirables los publicistas de unos puritos en Inglaterra. No son sus motivos lo que son admirables, pero sí la brillantez de su campaña: se ve a un hombre a punto de morir, o a punto de sufrir una catástrofe, su globo arde y va a estrellarse, o su moto está a punto de caer en un río, o es Colón y su nave va a caer por el borde de la Tierra. No se dice ni una palabra; se oye una música suave, y el tipo enciende un purito; en su rostro vemos una expresión de la más absoluta felicidad. Conscientemente, nuestra mente a lo mejor, ni se da cuenta de que estamos viendo el anuncio, pero el «socio oculto» está pacientemente digiriendo las implicaciones obvias.

Es verdad que hay publicidad en contra: las cifras atemorizantes de cáncer, las piernas que tienen que amputarse, las campañas en contra del mal aliento; pero son insuficientes para convencer a los fumadores de que deben dejarlo. Lógicamente tendrían que convencerles, pero no lo hacen. Ni siquiera consiguen que los jóvenes no empiecen. Durante todos aquellos años de fumador, yo creía sinceramente que si hubiera sabido cuáles eran las conexiones entre el fumar y el cáncer de pulmón, nunca hubiera empezado. Pero el caso es que todo este miedo a perder la salud, no cambia para nada las cosas. La trampa es la misma hoy que hace quinientos años, cuando los conquistadores de las Américas cayeron en ella. Las campañas contra el tabaco sólo parecen aumentar la confusión. Incluso el mismo producto, envuelto en esos paquetes de colorido atractivo y reluciente, lleva una advertencia sombría en un lado. ¿Qué fumador lee la advertencia? Más aún, ¿qué fumador se para y piensa seriamente en las consecuencias para su salud?

Estoy convencido de que una marca líder de cigarrillos está aprovechándose de la misma advertencia gubernamental para vender sus productos. Muchos de los anuncios que ponen contienen escenas con elementos que infunden temor, como arañas, libélulas y plantas carnívoras. En el mismo anuncio imprimen la advertencia oficial en letras tan grandes que el fumador ya no puede evitarla. El momento de miedo que el anuncio produce en el fumador se asocia con aquel paquete dorado y reluciente.

La fuerza más poderosa en este proceso de lavado de cerebro es, irónicamente, el mismo fumador. No es cierto que los fumadores sean personas de poca voluntad y cuerpo endeble, sino personas fuertes para hacer frente al veneno.

Esta es una de las razones por las cuales los fumadores se niegan a aceptar tantísimas estadísticas que demuestran que el tabaco perjudica la salud. Todo el mundo tiene un «tío Pepe» que fumaba dos paquetes diarios, nunca estuvo enfermo en toda su vida, y vivió hasta los ochenta años. Ni siquiera se admite la existencia de los millones de personas cuyas vidas fueron segadas antes de tiempo; ni se admite la posibilidad de que el famoso tío Pepe podría haber vivido diez años más, o estar vivo hoy si no hubiera sido fumador.

Si haces un pequeño estudio entre tus propios amigos y conocidos, verás que los fumadores, normalmente, son personas con mucha voluntad. Incluyen a muchos trabajadores autónomos, ejecutivos de empresa, médicos, abogados, policías, profesores, vendedores, enfermeras, secretarias, amas de casa con niños pequeños, etc. En otras palabras, lo que tienen en común estas personas es que llevan una vida de estrés. Los fumadores creen erróneamente que el tabaco alivia el estrés, y asocian el fumar con personas de carácter dominante; precisamente el tipo de persona que asume muchas responsabilidades y por tanto tiene mucho estrés: así, tendemos a admirar a estas personas copiando su comportamiento. Hay otro grupo de personas que se enganchan con facilidad: los que están en puestos de trabajos monótonos, porque la otra razón principal por la que fuman, es la creencia de que alivian su aburrimiento fumando. Desgraciadamente, esto también es una falsa ilusión.

Este lavado de cerebro llega a unos extremos insospechados. A nuestra sociedad le preocupa mucho la incidencia de fenómenos como esnifar pegamento, la adicción a la heroína, etc. Menos de diez personas mueren al año en este país por esnifar pegamento, y la muerte sólo se lleva al año a unos dos mil heroinómanos.

Mientras tanto, hay una droga, la nicotina, en la cual el 60 por 100 de la población hemos estado en algún momento atrapados, y que cuesta un dineral a la mayoría de los que siguen enganchados a lo largo de su vida. Mucha gente se gasta casi todo su dinero extra en tabaco, y cada año ese hierbajo destroza cientos de miles de vidas. Es la enfermedad número uno en el mundo entero en cuanto a víctimas mortales, muy por encima de los accidentes de carretera, incendios, etc.

¿Por qué nos horrorizan tanto cosas como el esnifar pegamento o el inyectarse heroína, mientras que la droga en la que gastamos buena parte de nuestro dinero, y que nos está matando, se consideraba hasta hace pocos años como un hábito social aceptable? En los últimos años se ha considerado el fumar como un hábito levemente antisocial, que puede o no perjudicar la salud. Pero el tabaco es legal y se vende en paquetes relucientes en todos los bares, quioscos, estancos, restaurantes, pubs y supermercados del país. El gobierno es el que tiene mayor interés financiero en esta industria.

El gobierno obtiene de los fumadores unos setenta y cinco mil millones de pesetas al año y las empresas tabacaleras se gastan más de quinientos mil millones de pesetas anuales en publicidad.

Tienes que empezar a edificar un sistema de defensa contra este lavado de cerebro. Imagina que estás hablando con un vendedor de coches de segunda mano que te quiere vender uno: tú le vas diciendo que sí a todo, pero, dentro de ti, no te crees ni una palabra de lo que dice.

Empieza a mirar esos paquetes tan atractivos con otros ojos, que vean la basura y el veneno que ocultan. No te dejes engañar con los ceniceros de cristal tallado o con los mecheros de oro, o por los millones de personas que se han tragado el anzuelo. Empieza a preguntarte a ti mismo:

¿Por qué lo hago?

¿Es realmente necesario?

POR SUPUESTO QUE NO LO ES.

Para mí, todo lo relacionado con este lavado de cerebro es lo más difícil de explicar. ¿Cómo es que un ser humano inteligente y racional puede volverse tan imbécil cuando se trata de su propia adicción? Me duele tener que confesar que de los miles de fumadores a los que he ayudado en estos años, el más imbécil de todos he sido yo.

Yo no sólo llegué a fumar cien cigarrillos diarios, sino que mi padre también había sido un fumador empedernido. Él era un hombre fuerte, que murió prematuramente a causa del tabaco. Me acuerdo de cuando yo era niño, de cómo tosía y carraspeaba por las mañanas. Veía claramente que no disfrutaba de ello, yo estaba convencido de que estaba dominado por alguna fuerza nefasta. Recuerdo cuando yo decía a mi madre: «*No permitas nunca que yo sea fumador.*»

A los quince años yo era un gran fanático del deporte. Vivía para el deporte, y estaba lleno de valor y de confianza en mí mismo. Si alguien me hubiese dicho entonces que un día llegaría a fumar cien cigarrillos diarios, hubiera apostado todas las ganancias de mi vida a que jamás ocurriría.

Cuando tenía cuarenta años era un auténtico *yonqui* del tabaco, física y mentalmente. Había llegado a una situación en la que era incapaz de hacer las cosas más simples de este mundo, físicas o mentales, sin antes encender un pitillo. La mayoría de los fumadores experimentan ganas de fumar en los momentos de estrés normal de la vida; por ejemplo, una llamada telefónica o en situaciones sociales. Yo ni siquiera podía cambiar el canal de la televisión o cambiar una bombilla sin encender un pitillo primero.

Sabía que me estaba matando; era imposible engañarme; no entiendo, cómo no me di cuenta de la equivocación mental en que me encontraba. Saltaba a la vista, desde luego. Lo más absurdo es que la mayoría de los fumadores creen (erróneamente) en algún momento que les gusta fumar. Yo nunca padecí esa ilusión. Fumaba porque creía que me ayudaba a concentrarme, que me tranquilizaba. Ahora que soy no-fumador resulta difícil pensar que aquellas cosas realmente ocurrieran. Es un poco como despertarse tras una pesadilla; y así lo es. La nicotina es una droga y todos tus sentidos están drogados: tu sentido del gusto y el olfato. Lo peor no es cómo te destroza la salud o que te vacíe los bolsillos; lo peor es la forma en que te trastorna mentalmente. Buscas cualquier excusa que parezca razonable para seguir fumando.

Me acuerdo de una época en que me dediqué a fumar en pipa, después de un intento fallido de dejar los cigarrillos, creyendo que me haría menos daño y así podría reducir mi consumo total.

Algunos de esos tabacos de pipa son realmente repulsivos. El aroma puede ser agradable, pero al principio son horribles de fumar. Recuerdo que durante unos tres meses me dolía mucho la punta de la lengua. Se forma una especie de sustancia aceitosa marrón al fondo de la cazuela. A veces, sin darte cuenta, la cazuela se te sube por encima de la horizontal, y de repente te encuentras con que te has tragado una buena cantidad de esta porquería. La reacción normal en estas circunstancias es vomitar, estés con quien estés.

Tardé unos tres meses en aprender el manejo de la pipa, pero no entiendo por qué durante todo ese tiempo no me pregunté seriamente por qué me estaba sometiendo a semejante tortura.

Por supuesto, una vez que ha aprendido a manejar la pipa, nadie parece más contento que esos fumadores. La mayoría están convencidos de que fuman porque disfrutan de la pipa. ¿Por qué entonces tuvieron que sufrir tanto para aprender a hacer algo que no echaban de menos antes?

La respuesta a esta pregunta es que una vez estás enganchado a la nicotina, el lavado de cerebro aumenta. El subconsciente sabe que hay que darle de comer al monstruito, y te cierra la mente a todo lo demás. Repito, lo que hace que la gente siga fumando es el miedo; miedo ante esa sensación de vacío e inseguridad que se apodera de ti cuando dejas de recibir tus dosis de nicotina. El hecho de que no te des cuenta de ello no quiere decir que no exista. No tienes por qué comprenderlo, de la misma manera que un gato no tiene por qué comprender dónde están los tubos de agua caliente debajo del suelo; el gato sólo sabe que, cuando se sienta en ciertos sitios, recibe una sensación de calor.

El lavado de cerebro es el principal obstáculo para el que quiera dejar de fumar. Es un lavado de cerebro producido por la sociedad en la que vivimos, reforzado por nuestra propia adicción a la nicotina, y, lo que es peor, aumentado por la influencia de nuestros amigos, compañeros y familiares.

Lo único que nos empuja a fumar en un principio es el hecho de que otros fumen. Sentimos que nos estamos perdiendo algo. Tanto trabajo para engancharnos para luego no encontrar lo que teóricamente estábamos perdiendo. Cada vez que vemos a un fumador, él nos confirma que debe tener algo bueno, que si no fuera así, no fumaríamos. Incluso cuando ha conseguido dejarlo, el ex fumador sigue con esta sensación de privación. Cuando otro fumador enciende un pitillo en una fiesta u otra situación social, se siente seguro, puede fumarse uno solo, y, sin darse cuenta siquiera, se encuentra otra vez enganchado de nuevo.

Este lavado de cerebro es muy poderoso, y tienes que darte cuenta de cuáles son sus efectos. Yo me acuerdo de un programa de radio que fue muy popular en Inglaterra hace muchos años, cuando era jovenzuelo: las historias del detective Paul Temple. En uno de los episodios había unos malvados fabricantes de cigarrillos que mezclaban marihuana con el tabaco, y así conseguían que los fumadores se volvieran adictos a la «hierba», lo cual hacía que aumentaran las ventas de los cigarrillos. Todos quedamos horrorizados ante tal ejemplo de maldad y engaño al público inocente. Pues ahora resulta que muchos de los fumadores que he ayudado confiesan haber probado la «hierba», y ninguno dice que produce adicción. Y aunque hoy estoy bastante convencido de que la marihuana no es adictiva, no me atrevería a tomar ni una sola caladita. ¡Qué irónico que haya acabado como yonqui de la droga adictiva número uno! ¡Ojalá Paul Temple me hubiera advertido del cigarrillo mismo! Qué ironía es también que más de cuarenta años después el hombre gaste millones de dólares en buscar un remedio para el cáncer, y muchos millones más en convencer a los jóvenes sanos y fuertes de que deben engancharse a esa porquería de tabaco, y que sea el propio gobierno quien más interés financiero tenga en que las cosas sigan así.

Estamos a punto de eliminar el lavado de cerebro. Al no fumador no se le priva de nada; al fumador sí que se le priva, de toda una vida de:

SALUD
ENERGÍA
DINERO
TRANQUILIDAD
CONFIANZA
VALOR
AMOR PROPIO
FELICIDAD

¿Y qué recibe a cambio de este enorme sacrificio? ¡NADA EN ABSOLUTO!

Sólo tiene la falsa ilusión de intentar recobrar el estado de paz, tranquilidad y confianza en sí mismo que el no-fumador disfruta siempre.

Capítulo 8

Fumas para aliviar la ansiedad producida por la retirada de la nicotina

Como ya he explicado, los fumadores creen que fuman porque les gusta, porque se relajan o porque reciben una especie de estímulo. La realidad es que esto es mera ilusión; lo único que consiguen es aliviar la ansiedad producida por la retirada de la nicotina, el *mono*.

Al principio cuando empezamos a fumar, empleamos el cigarrillo como algo social, que da el toque final a nuestra imagen. Podemos tomarlo o dejarlo. Sin embargo, el efecto en cadena se ha puesto en marcha. El subconsciente empieza a aprender que un cigarrillo fumado a intervalos más o menos regulares tiende a proporcionar una especie de placer.

Cuanto más enganchados estamos, mayor es la necesidad de aliviar el *mono*, y con más fuerza nos esclaviza el cigarrillo; más convencidos estamos de que no es así. Todo ocurre tan lenta y paulatinamente que ni siquiera te das cuenta. No te sientes cada día distinto que el día anterior. La mayoría de los fumadores no se da cuenta de que están enganchados hasta que intentan dejarlo, e incluso entonces hay quien no acepta que lo está. Algunos obcecados mantienen los ojos cerrados toda la vida, intentando convencer a todo el mundo, y a ellos mismos, de que lo hacen porque les gusta.

Este diálogo es representativo de cientos de los que he tenido con fumadores jóvenes:

YO.—¿Te das cuenta de que la nicotina es una droga, y que sólo fumas porque no puedes dejarlo?

ÉL.—¡Chorradas! Me gusta. Si no me gustara, lo dejaría.

YO.—Déjalo durante una semana para demostrar que lo puedes dejar si quieres.

ÉL.—¿Para qué? Me gusta. Si quisiera dejarlo, lo dejaría.

YO.—Déjalo sólo durante una semana, para probarte que no estás enganchado.

ÉL.—¿Cuál es el sentido? Me gusta.

Como ya hemos visto, los fumadores tienden a aliviar los síntomas del mono en los momentos de estrés, aburrimiento, concentración, descanso, o una combinación de estos factores. Todo esto se explica con más detalle en los capítulos siguientes.

Capítulo 9

Las situaciones de estrés

Aquí no me refiero sólo a las grandes tragedias de la vida, sino también a los momentos de estrés menor: en las relaciones sociales, al contestar al teléfono, en la vida de un ama de casa con niños pequeños ruidosos, etc.

Vamos a estudiar la llamada telefónica como ejemplo. Para la mayoría de las personas el teléfono es un instrumento que produce muchísimo estrés, sobre todo para el hombre de negocios. Normalmente, la llamada no es de un cliente satisfecho, ni del jefe que quiere felicitarte. Es más frecuente que sea algún tipo de problema que ha surgido o alguien que quiere que se le pague o algo similar. Cuando suena el teléfono, el fumador instintivamente enciende un cigarrillo, si no está fumando ya. No sabe por qué lo hace, pero sabe que de alguna manera parece ayudarle.

Lo que ha ocurrido en la realidad es lo siguiente: sin ser consciente de ello nuestro fumador estaba ya padeciendo las molestias del *mono*, que es una forma de estrés. Al eliminar en parte el estrés del mono antes de coger el teléfono, cree que reduce el estrés total, y el cigarrillo por tanto parece haber disminuido el estrés asociado con la llamada y al recibir el fumador un estímulo. En este momento ese estímulo no es una ilusión; el fumador sí se sentirá mejor que antes de encender el cigarrillo. Sin embargo, aun mientras fuma el cigarrillo, el fumador está más tenso que si fuera no fumador. Cuanto más dependes de la droga, más te hace sufrir y menos alivio sientes cuando fumas.

Prometí no utilizar tácticas atemorizantes. Con el ejemplo que te voy a poner ahora no quiero asustarte, simplemente deseo hacerte ver que el tabaco te pone más nervioso y no te relaja.

Intenta imaginar que has llegado a un grado de envenenamiento tal que el médico te va a tener que amputar las piernas, si no dejas de fumar. Sólo por un momento piensa en la vida sin piernas. Hazte cargo del estado mental de una persona que habiendo recibido ese aviso, sigue fumando y pierde sus piernas. Párate un momento e intenta imaginar la vida sin piernas.

Yo oía historias de este tipo y pensaba que la gente que hacía estas cosas estaba loca. A veces deseaba que el médico me dijera a mí algo parecido; entonces lo dejaría. Pero yo era ya uno de esos locos, esperando cualquier día tener una hemorragia cerebral y perder no sólo las piernas, sino la vida. Yo no me consideraba loco; era simplemente un fumador empedernido.

Esas historias no son locuras. Es eso lo que te hace esta terrible droga. Conforme avanzas por la vida, te va quitando valor y coraje sistemáticamente. Cuanto más valor te quita, más te hace creer que está haciendo justamente lo contrario. Todos hemos oído hablar de esa sensación de pánico que invade a los fumadores cuando por la noche temen que se les acabe el tabaco. Es un temor que los no-fumadores no sienten; es el cigarrillo quien lo produce. Con el paso del tiempo, el tabaco no sólo te quita valor, también es un potente veneno que destroza tu salud física. Cuando el fumador llega al punto en que el tabaco le está matando, cree que el cigarrillo le da valor para enfrentarse con el momento más dramático de su vida: es entonces cuando más lo necesita.

Métetelo en la cabeza: el cigarrillo no te hace menos nervioso; poco a poco está restándote coraje. Uno de los mayores beneficios que recibes cuando lo dejas es el retorno de la confianza y la seguridad en ti mismo.

Capítulo 10

Las situaciones de aburrimiento

Si ya estás fumando en este momento, probablemente no te habrás dado cuenta de ello hasta que lo he mencionado.

La idea de que los cigarrillos mitigan el aburrimiento es otra falsedad. El aburrimiento es un estado de ánimo. Si te fumas un cigarrillo, tu mente no dice: «¡Ah, qué bien, me estoy fumando un pitillo, me estoy fumando un pitillo!» Eso sólo ocurre cuando llevas bastante tiempo sin que te permitan fumar, o cuando intentas fumar menos, o mientras fumas esos primeros cigarrillos, después de haber fracasado en el intento de dejarlo.

La situación real es esta: cuando eres adicto a la nicotina, si no estás fumando te falta algo. Si tienes la mente ocupada en algo que no produce estrés, puedes estar bastante tiempo sin fumar, sin que te moleste la ausencia de la droga. Pero cuando estás aburrido, nada te distrae y le das de comer al monstruito. Cuando fumas sin control, es decir, cuando no estás intentando reducir el consumo de tabaco ni dejándolo, incluso el acto de encender un cigarrillo se hace de modo inconsciente. Así, los fumadores de pipa o los que lían sus propios cigarrillos, pueden seguir el rito de una manera automática. Si un fumador intenta acordarse de los cigarrillos que ha fumado durante el día, sólo podrá recordar unos pocos; por ejemplo, el primero de la mañana, o el que fumó después de comer.

La realidad es que el tabaco tiende a aumentar el aburrimiento de modo indirecto, porque te hace sentir letargo y, en vez de emprender una actividad dinámica, los fumadores pasan el rato sin hacer nada, aburridos, aliviando el *mono*.

Capítulo 11

Las situaciones de concentración

Los cigarrillos no te ayudan cuando tienes que concentrarte. Es sólo un engaño.

Cuando intentas concentrarte, automáticamente procuras evitar molestias, como un exceso de calor o de frío. El fumador ya siente la molestia del monstruito que pide su dosis. Por tanto, cuando quiere concentrarse, ni lo piensa: enciende un cigarrillo de manera automática, quitándose parcialmente la molestia de la ansiedad, se dedica al trabajo que tiene delante y ya se ha olvidado de que está fumando.

El tabaco no ayuda a concentrarte; al contrario, destruye la concentración, porque, con el tiempo, es imposible aliviar completamente la ansiedad incluso mientras fumas. Siguiente paso: fumas más, y el problema crece.

Existe otro factor que perjudica la concentración. La obstrucción progresiva de arterias y venas con los venenos, privando al cerebro de oxígeno. De hecho, la concentración e inspiración se verán beneficiadas si se revierte todo el proceso.

Este error en cuanto a la concentración me impedía dejar de fumar con el método de la fuerza de voluntad. Podía aguantar la irritabilidad y el mal humor, pero cuando algo difícil me exigía mucha concentración, tenía que tener aquel cigarrillo. Recuerdo el pánico que sentí al enterarme de que no podía fumar durante los exámenes de contabilidad. En esa época ya era un fumador compulsivo, sabía que me iba a ser imposible concentrarme durante tres horas sin un solo cigarrillo. Pero aprobé los exámenes y no recuerdo haber pensado en fumar durante ese momento; evidentemente, cuando me encontraba entre la espada y la pared, podía tolerarlo.

En realidad, la falta de concentración que los fumadores experimentan al intentar dejar de fumar no se debe a los síntomas físicos de la ansiedad por la nicotina. Si eres fumador, tienes bloqueos mentales. ¿Qué haces entonces? Si no estás fumando, enciendes un cigarrillo; pero esto no soluciona el problema. Tienes que seguir adelante igual que lo hacen los no-fumadores. Cuando eres fumador nunca echas la culpa de las cosas al cigarrillo. Los fumadores nunca tienen tos de fumador; se engañan a sí mismos padeciendo un resfriado permanente. En cambio, cuando dejas de fumar, culpas de lo que en la vida te va mal al hecho de que has dejado de fumar. Cuando tienes un bloqueo mental, en lugar de sobrellevarlo, dices: «Ojalá pudiera encender un cigarrillo, esto resolvería mi problema.» Así es cómo empiezas a dudar de tu decisión por dejar de fumar.

Si crees que el fumar favorece la concentración, entonces el hecho de preocuparte por ello hará que no puedas concentrarte con toda seguridad. Son las dudas, no la ansiedad física las responsables del problema. Acuérdate, sólo los fumadores padecen las punzadas de ansiedad; los no-fumadores no las padecen.

Cuando apagué el último cigarrillo, pasé de la noche a la mañana, de fumar cien cigarrillos diarios a no fumar ninguno, sin pérdida alguna de concentración.

Capítulo 12

Las situaciones de relajación

La mayoría de los fumadores creen que los cigarrillos les ayudan a relajarse. Lo cierto es que la nicotina, entre otras cosas, es un estimulante químico. Si te tomas el pulso y luego fumas dos cigarrillos seguidos, notarás un aumento significativo en el número de pulsaciones.

Uno de los cigarrillos preferidos puede ser el de después de comer o de cenar. La comida y la cena son los momentos de mayor sosiego de la jornada: dejamos de trabajar, nos sentamos, aliviamos el hambre y la sed, y nos sentimos completamente relajados y satisfechos. El pobre fumador, sin embargo, no puede relajarse: tiene otra «hambre» que satisfacer. Él suele considerar el cigarrillo de después de comer como el punto culminante de la comida, pero no tiene nada que ver: es sólo el monstruito que pide que le den de comer también.

En realidad, el adicto a la nicotina nunca puede relajarse del todo, y con el paso de los años su intranquilidad aumenta.

Las personas menos relajadas del mundo no son los no-fumadores, sino los ejecutivos de cincuenta años, fumadores compulsivos, siempre tosiendo, con la tensión alta y permanentemente irritables. Cuando se llega a este punto, los cigarrillos no alivian ni siquiera parcialmente la ansiedad que han producido.

Recuerdo mi juventud, cuando era asesor financiero, con una familia recién formada. Si uno de mis hijos se portaba mal, reaccionaba de manera totalmente desproporcionada. Verdaderamente creía que había algo malvado en mi carácter; ahora sé que los cigarrillos creaban el problema. En esa época pensaba que tenía los mayores problemas del mundo, pero, mirando atrás, me pregunto dónde estaba tanto estrés. Dominaba en todos los demás aspectos de mi vida. Lo único que me controlaba a mí era el tabaco. Lo triste es que todavía no puedo convencer a mis hijos de que mi irritabilidad se debía al cigarrillo, porque cada vez que escuchan a un fumador que trata de justificar su adicción, reciben el siguiente mensaje: «Los cigarrillos me tranquilizan. Me ayudan a relajarme.»

Hace unos años, en un programa de la radio se debatió si se debía prohibir a los fumadores que adoptasen hijos. Llamó un hombre furioso y dijo: «Están completamente equivocados. Recuerdo cuando era niño y tenía que tratar algún problema con mi madre, esperaba el momento en que encendiese un cigarrillo para hacerlo, porque estaba más relajada.» ¿Por qué no podía hablar con su madre cuando no estaba fumando? La próxima vez que veas a una madre gritando a su hijo en el supermercado, observa qué hace al salir: lo primero será encender un cigarrillo. Empieza a observar a los fumadores, sobre todo cuando no se les permite fumar. Verás que se llevan las manos a la boca, hacen gestos con las manos, dan golpecitos con los pies, juegan con el pelo o aprietan los dientes. Los fumadores no están relajados, han olvidado lo que es estar completamente relajados. Esta es una de las muchas alegrías que te esperan.

Al fumador se le puede comparar con un insecto atrapado en una planta carnívora. Al principio, el insecto se alimenta del néctar; de pronto, la planta empieza a devorar al insecto.

¿No es hora ya de que te escapes de la planta?

Capítulo 13

Los cigarrillos combinados

No, un cigarrillo combinado no significa que fumes dos o tres a la vez. Cuando eso ocurre, te preguntas por qué estabas fumando el primero. Una vez me quemé el dorso de la mano al llevarme un cigarrillo a la boca teniendo ya uno. Eso en realidad, no es tan absurdo como parece. Llega un momento, como he dicho antes, en que el cigarrillo ya no alivia las molestias del *mono*, y llegas a sentirte privado de algo incluso mientras fumas. Esta es la terrible frustración del fumador compulsivo. Cuando necesita un estímulo, ya está fumando. Esto lleva a los fumadores empedernidos a engancharse con el alcohol o con otras drogas, pero eso es otro tema.

El cigarrillo combinado es el que fumas por dos o más de las razones normales que nos empujan a fumar. Por ejemplo, en las reuniones sociales, las fiestas, las bodas, las comidas en un restaurante. Estos son ejemplos de ocasiones de estrés y relajación. A simple vista, esto parece una contradicción, pero no lo es. Cualquier forma de relación social puede contener un elemento de estrés. Incluso entre buenos amigos hay burlas y bromas normales, y al mismo tiempo quieres divertirte y relajarte.

Las situaciones peores son aquellas en las que las cuatro razones están presentes a la vez. El conducir puede servir de ejemplo. Si acabas de salir de una situación de estrés, como, por ejemplo, una visita al dentista o al médico, ahora puedes relajarte; pero, al mismo tiempo, el conducir siempre supone un elemento de estrés, estás jugándote la vida continuamente. Además, tienes que concentrarte. Puede que no te des cuenta de los últimos dos factores, pero el hecho de que estén en el subconsciente, no quiere decir que no existan. Si te encuentras hayas eliminado el lavado de cerebro de tu mente, no querrás fumar, ni sentirás la necesidad de hacerlo.

El tabaco no mejora las comidas, las estropea. Te destruye el paladar y el olfato. Mira a los fumadores en un restaurante, fumando entre plato y plato. No disfrutan de la comida: en realidad están deseando que se acabe, porque interfiere en el fumar. Muchos fuman en estas situaciones aun sabiendo que molesta a los no-fumadores. Los fumadores en general no son personas que desprecien a los demás; simplemente, se desesperan si no pueden fumar. Están entre la espada y la pared: o bien tienen que abstenerse y ser desgraciados porque no pueden fumar, o fuman y son desgraciados, sintiéndose culpables y despreciables de sí mismos.

Observa a los fumadores en una recepción oficial en la que no pueden fumar antes del brindis. Muchos de ellos de repente desaparecen misteriosamente y van a los servicios para dar un par de caladas en secreto. Ahí es donde ves el fumar realmente como una adicción. Los fumadores no fuman porque les gusta. Lo hacen porque se sienten desgraciados sin el tabaco.

Puesto que muchos empezamos a fumar en reuniones sociales, cuando somos jóvenes y tímidos, adquirimos la creencia de que no podemos disfrutar de estas reuniones sociales sin tabaco. Es una idiotez. El tabaco te quita la confianza en ti mismo. El efecto del tabaco en las mujeres nos ofrece un clarísimo ejemplo del miedo que produce. Casi todas las mujeres se preocupan mucho de su aspecto físico. No se imaginan en una ocasión social sin estar perfectamente arregladas y oliendo bien. Pero el saber que su aliento huele a cenicero viejo no les disuade de dejar de fumar en absoluto. Sé que les preocupa mucho; muchas odian el olor que desprenden sus ropas o su propio pelo, pero esto no les impide fumar. Tal es el miedo que esta terrible droga produce en el fumador.

Los cigarrillos no ayudan en las reuniones sociales; las estropean. Tienes que llevar el vaso en una mano y el cigarrillo en la otra; vigilar que no se te caiga la ceniza y buscar un sitio para las interminables colillas; procurar no soplar humo en la cara a tus interlocutores; preguntarte si te huele el aliento o si resultan desagradables tus dientes manchados.

No sólo no hay nada de qué privarse. Al contrario, hay muchos beneficios maravillosos. Cuando el fumador piensa en dejar de fumar, tiende a concentrarse en su salud, el dinero que se puede ahorrar y el rechazo social. Estas tres cosas son evidentemente muy importantes, pero creo que los mayores beneficios son psicológicos, incluyendo:

1. La recuperación del valor y confianza en ti mismo.
2. La liberación de la esclavitud.
3. La desaparición de esas terribles sombras negras en el fondo de tu mente: saber que la mitad de la población te desprecia y, peor aún, despreciarte a ti mismo.

No sólo es mejor la vida del no-fumador que la del fumador, sino que disfruta de la vida infinitamente más. No quiero decir simplemente que tendrás mejor salud y más dinero, sino que serás más feliz y disfrutarás más de la vida.

Los beneficios maravillosos que se obtienen cuando uno se convierte en no-fumador se detallan en los próximos capítulos.

Algunos fumadores tienen dificultades para comprender este concepto de vacío; veamos si este ejemplo te ayuda.

Imagina que tienes una erupción en la cara. Yo tengo una crema maravillosa. Te digo: «Prueba esto.» Te pones la crema y la erupción desaparece inmediatamente. Una semana más tarde vuelve a aparecer. Preguntas: «¿Te queda algo de esa crema?» Digo: «Quédate con el tubo. Puede que la vuelvas a necesitar.» Te pones la crema. ¡Milagro!, la erupción desaparece. Pero cada vez que aparece de nuevo es más grande la zona afectada, duele más y los intervalos más cortos. Al cabo del tiempo la erupción te cubre toda la cara y el dolor es insufrible. Ahora vuelve cada media hora. Sabes que la crema la quita temporalmente, pero sigues muy preocupado. ¿Dónde acabará esto? ¿Afectará al final a todo el cuerpo? ¿Desaparecerá el intervalo por completo? Vas al médico, pero no te puede hacer nada. Pruebas otros medicamentos pero ninguno funciona, sólo la crema maravillosa.

Ahora dependes totalmente de la crema. Nunca sales sin asegurarte de tener a mano un tubo de la crema. Si vas de viaje, te llevas unos cuantos tubos. Ahora, además de las preocupaciones por tu salud, te cobro veinte mil pesetas por tubo. No tienes más alternativa que pagar.

Luego lees en la sección de salud de tu periódico que esto no sólo te ocurre a ti, sino que muchas personas padecen el mismo problema. De hecho, los farmacéuticos han descubierto que la crema no cura la erupción, lo único que hace es esconderla debajo de la piel. Es la crema misma la causa del crecimiento de la erupción. Lo único que tienes que hacer para eliminar la erupción es no utilizar la crema. Desparecerá por sí sola, con el tiempo.

¿Seguirías usando la crema?

¿Necesitarías fuerza de voluntad para dejar de usarla? Si dudases del artículo, estarías receloso durante unos días, pero una vez que te dieras cuenta de que la erupción mejoraba, la necesidad o las ganas de utilizar la crema desaparecerían.

¿Te sentirías deprimido? Por supuesto que no. Tenías un problema horrible, sin solución. Ahora has encontrado la solución. Incluso si tardara un año en desaparecer la irritación por completo, cada día, al verte mejor, pensarías: «¡Qué maravilla! No me voy a morir.»

Esta fue la magia que ocurrió en mí cuando apagué aquel último cigarrillo. Quisiera dejar claro algo en la analogía de la erupción y la crema. La erupción no representa ni el cáncer de pulmón, arteriosclerosis, enfisema, angina de pecho, asma crónica, bronquitis ni tampoco una enfermedad coronaria. Todos estos problemas se añaden a la erupción. No son los millones de pesetas que quemamos; ni una vida de mal aliento y dientes manchados, de letargo, mala respiración y tos; ni los años que pasamos asfixiándonos, deseando no hacerlo; ni los momentos en que nos sentimos castigados, cuando no se nos permite fumar. No es la vida en la que nos desprecian los otros, o, peor aún, nos despreciamos a nosotros mismos. Estos son cosas adicionales a la erupción. La erupción es la que nos hace cerrar nuestra mente ante todas esas cosas. Es aquella sensación de pánico de: «Me apetece un cigarrillo.» Los no-fumadores no sufren esa sensación. Lo peor que soportamos es el miedo y el mayor beneficio que recibes cuando dejas de fumar es liberarte de ese miedo.

Fue como si la niebla intensa que había en mi mente se esfumase. Podía ver con toda claridad que esa sensación de pánico al querer un cigarrillo no se debía a mi debilidad o a una propiedad mágica del cigarrillo. Este miedo lo causó el primer cigarrillo y los que vinieron después, que, lejos de aliviar esa sensación, la acrecentaron. A la vez veía que esos fumadores «felices» pasaban por la misma pesadilla que yo. No tan mala como la mía, pero todos construyendo argumentos falsos para justificar su estupidez.

¡ES TAN BUENO SER LIBRE!

Capítulo 15

La esclavitud autoimpuesta

En general, cuando los fumadores tratan de dejarlo, las razones más frecuentes son la salud, el dinero y el rechazo social; pero una parte del lavado de cerebro de esta horrible droga es la pura esclavitud que impone.

En el siglo pasado hubo una dura lucha para abolir la esclavitud, pero el fumador se pasa la vida padeciendo un estado de esclavitud autoimpuesta. No parece darse cuenta de que cuanto más se le permite fumar, más desearía ser un no-fumador. No sólo no disfrutamos de la mayor parte de los cigarrillos que fumamos, sino que ni siquiera nos damos cuenta de que los fumamos. Únicamente después de un período de abstinencia podemos pensar que disfrutamos de algún cigarrillo (por ejemplo, el primero de la mañana, el de después de comer, etc.).

El cigarrillo sólo posee cierto valor a nuestros ojos cuando intentamos reducir el consumo o dejarlo por completo, o cuando la sociedad nos obliga a la abstinencia, por ejemplo, en las iglesias, en los hospitales, en los supermercados o en el cine.

El fumador decidido a serlo debe hacerse cargo de que esta tendencia a la prohibición de fumar irá a más, no a menos. Hoy es en ciertos lugares, mañana será en todos los edificios públicos.

Ya pasaron aquellos tiempos en que el fumador podía entrar en casa de un amigo o de un desconocido y preguntar: «¿Os importa que fume?» Hoy en día, el pobre fumador, al entrar en una casa ajena, buscará desesperadamente ceniceros y si contienen colillas. Si no ve ningún cenicero, tratará de aguantarse, y si esto resulta imposible pedirá permiso para fumar. Se le contesta cada vez con más frecuencia: «Bueno, puedes fumar si no hay más remedio», o bien «Preferiríamos que no fumases, el olor tarda tanto en irse después...». El desgraciado fumador se siente miserable, deseando que se abriese la tierra y se lo tragase.

Me acuerdo de cuando yo fumaba; cada vez que iba a la iglesia era una tortura. Incluso en la boda de mi hija, tenía que haberme comportado como el clásico padre orgulloso, pero pensaba: «A ver si termina esto, y salimos a fumar un pitillo.»

Te ayudará observar a los fumadores en estas ocasiones. Forman corrillos. Nunca sale un paquete solo. Se ofrecen una veintena de paquetes, y la conversación es siempre la misma:

—«¿Fumas?»
—«Sí, pero oye, fúmate uno de los míos.»
—«Me fumaré uno de los tuyos luego.»

Los encienden y aspiran el humo hasta el fondo de los pulmones, mientras piensan: «Qué suerte la nuestra. Tenemos este premio, y el pobre no-fumador no tiene ninguno.»

Ni falta que le hace al «pobre» no-fumador. Nuestro cuerpo no fue diseñado para irse envenenando sistemáticamente durante toda su vida. Lo más patético es que incluso mientras fuma, el fumador no alcanza esa sensación de paz, confianza y tranquilidad de la que el no-fumador ha disfrutado toda su vida. El no-fumador no está sentado en la iglesia deseando que se pase el tiempo más rápidamente. Puede disfrutar de toda su vida.

Me acuerdo de cuando jugaba a los bolos en campo cubierto en invierno. Estaba prohibido fumar en el recinto, y, con la excusa de ir al WC, me escapaba de vez en cuando para tomarme unas caladas en secreto. No era ningún chaval de catorce años, sino un respetado asesor financiero de cuarenta años. ¡Qué triste espectáculo! Incluso cuando había vuelto y estaba jugando no me lo pasaba bien. Sólo esperaba que acabara aquello para poder fumar. Esa era la manera que tenía de relajarme y de disfrutar de mi *hobby* preferido.

Para mí, uno de los mayores placeres de ser no-fumador es verse liberado de esa esclavitud, y disfrutar de todas las cosas de la vida; en lugar de estar la mitad del tiempo aguantándote sin fumar para luego, cuando enciendes un cigarrillo, estar deseando no tener que hacerlo.

Los fumadores tendrían que grabar en su mente que cuando están en casa de un no-fumador o en compañía de no-fumadores, no es el no-fumador santurrón quien les está privando de un placer, sino el «monstruito».

Capítulo 16

Me ahorraré «equis» pesetas al mes

Nunca repetiré lo suficiente que la dificultad al dejar de fumar está en el lavado de cerebro. Cuanto más superemos el lavado de cerebro antes de empezar, más fácil te resultará luego conseguir tu propósito.

De vez en cuando me encuentro discutiendo con los que yo llamo fumadores resueltos. Según mi propia definición, un fumador resuelto es aquel que económicamente se lo puede permitir, que no cree estar perjudicando su salud, y al que no le importa el rechazo social. (Ahora ya no queda mucha gente así.)

Si es un hombre joven, le digo: «No me puedo creer que el dinero que gastas en esto no te importe.»

Normalmente se le ilumina la cara. Si le hubiera atacado con argumentos relacionados con la salud o con el rechazo social, a lo mejor se hubiera sentido en inferioridad de condiciones, pero el dinero...

«Me lo puedo permitir. Sólo me gasto «equis» pesetas a la semana, y yo creo que merece la pena. Es el único vicio o placer que tengo, etc.»

Si es una persona que fuma un paquete diario, le digo:

«Todavía me cuesta creer que no te importe el dinero. Te vas a gastar unos cinco millones de pesetas a lo largo de tu vida. Bien: ¿qué es lo que vas a hacer con esos cinco millones? No es como si los quemaras o los tiraras al desagüe; vas a usar este dinero para perjudicar tu salud, destrozar tus nervios, para quitarte confianza en ti mismo, y ser esclavo toda tu vida, para tener los dientes manchados siempre y el aliento maloliente, ¿seguro que estas cosas no te preocupan?»

En ese momento te das cuenta, sobre todo si el fumador es joven, que él nunca lo ha considerado como un gasto que le vaya a durar toda la vida. Para la mayoría, basta con darse cuenta de lo que cuesta un sólo paquete. A veces calculamos lo que nos gastamos en una semana, y eso es alarmante. Rara vez calculamos el gasto que supondría en un año (lo que ocurre cuando contemplamos la posibilidad de dejarlo), y eso ya asusta. Pero calcular lo que uno se gasta a lo largo de toda su vida, es impensable.

Pero, como estamos discutiendo, el fumador suele decir:

«Me lo puedo permitir. Es sólo tanto a la semana.» Se autoconvence con el truco del vendedor de enciclopedias.

Entonces le digo:

«Te voy a hacer una oferta que no puedes rechazar. Dame trescientas mil pesetas ahora, y yo te suministraré gratis todos los cigarrillos que necesites durante el resto de tu vida.»

Si le ofreciera hacerme responsable de su hipoteca de cinco millones a cambio de trescientas mil, me haría firmar un papel en el acto, pero ningún fumador resuelto (y recuerda que estamos hablando de personas que no piensan dejar de fumar nunca, no de personas como tú, que tienes la intención de dejarlo) ha aceptado mi oferta. ¿Por qué no?

Llegados a este punto de la conversación, el fumador suele decir: «Mira, aunque no te lo creas, es verdad que no me preocupa el aspecto económico.» Si tú también estás pensando algo así, debes preguntarte por qué no te preocupa. ¿Por qué en otros aspectos de la vida te tomas bastantes molestias para ahorrar unos cuantos miles aquí y allá, y al mismo tiempo no te importa gastar millones en envenenarte?

La respuesta a estas preguntas es la siguiente: casi cada vez que tomas una decisión, pasas primero por un proceso analítico, sopesando los argumentos a favor y en contra para llegar a una respuesta razonada. Puede que sea la respuesta incorrecta, pero al menos será el resultado de una deducción racional. Si un fumador sopesa los pros y los contras del fumar la respuesta docenas de veces es:

«DEJA DE FUMAR, QUE ESTÁS HACIENDO EL PRIMO.» Por tanto, los fumadores fuman, no porque quieren o porque lo han decidido racionalmente, sino porque creen que no pueden dejarlo. Entonces tienen que lavar sus propios cerebros. Tienen que esconder la cabeza bajo tierra.

Lo curioso es que muchos fumadores organizan pactos entre ellos diciendo: «El primero que vuelva a fumar paga diez mil pesetas a los demás», mientras que no dan importancia a los millones que se ahorrarían si lo dejaran. Es porque todavía piensan con el cerebro lavado del fumador.

Deja de esconder la cabeza por un momento. El fumar es una reacción en cadena, una cadena que es para toda la vida. Si no rompes la cadena, seguirás siendo fumador hasta que te mueras. La cantidad que se vaya a gastar en ese tiempo variará según la persona, pero vamos a suponer que es de dos millones de pesetas.

Dentro de poco tomarás la decisión de fumar tu último cigarrillo (todavía no, por favor, acuérdate de las instrucciones iniciales). Lo único que tendrás que hacer para seguir siendo no-fumador es no caer otra vez en la trampa, es decir, no fumar nunca ese primer cigarrillo. Si te lo fumas, ese cigarrillo te enganchará de nuevo y te costará dos millones.

Si crees que este argumento es un truco, te estás engañando a ti mismo. Sólo tienes que calcular cuánto te hubieras ahorrado si en tu juventud no hubieras fumado aquel primer cigarrillo.

Si aceptas mis argumentos, imagínate cómo te sentirías si en el correo de mañana te llegara un talón de la Lotería Nacional por valor de dos millones. ¡Bailarías de alegría! Entonces, empieza a bailar. Estás a punto de recibir ese premio, y es sólo uno de los muchos beneficios que estás a punto de obtener.

Durante el período de la retirada del tabaco, puede que tengas la tentación de fumarte otro «último cigarrillo». Te ayudará a resistir la tentación el pensar que ese cigarrillo te costará dos millones de pesetas, o cualquier otra cantidad que hayas calculado. Llevo años ofreciendo esto en programas de televisión y radio. Sigue asombrándome que ni un solo fumador haya aceptado mi oferta.

Capítulo 17

La salud

Aquí es donde los efectos del lavado de cerebro son mayores. Los fumadores creen ser conscientes de los peligros para su salud, pero no es así.

Incluso en mi propio caso, cuando esperaba que me reventase la cabeza en cualquier momento, al aceptar las consecuencias me engañaba a mí mismo.

Pienso qué hubiera ocurrido en aquellos tiempos si al sacar un cigarrillo del paquete, se hubiera encendido una luz roja y un avisador electrónico me hubiera dicho: «Ya está, Allen. Este es el cigarrillo. Afortunadamente, se te puede avisar, pero este es el único aviso. Hasta ahora te has salvado, pero si te fumas este cigarrillo se te reventarán las arterias del cerebro.»

¿Crees que hubiera encendido ese cigarrillo? Claro que no. Si tienes dudas en cuanto a la respuesta, acércate al bordillo de la acera con los ojos cerrados e imagínate que tienes la opción de dejar de fumar o de cruzar la calle con los ojos cerrados, antes de fumarte el próximo cigarrillo.

Sabes perfectamente lo que harías. Lo que yo había hecho durante tantos años era lo que hacen todos los fumadores: cerrar los ojos y esconder la cabeza, con la esperanza de despertar una buena mañana sin ganas de fumar. El fumador no puede permitirse el lujo ni siquiera de pensar en los riesgos para la salud; si piensa en ello, pierde hasta la ilusión de que le gusta fumar.

Esto explica por qué son tan ineficaces las tácticas de choque que emplean los medios de difusión en los días nacionales anti-tabaco. Sólo los no-fumadores aguantan escucharlos. También explica por qué los fumadores siempre sacan el ejemplo del famoso «tío Pepe» que fumaba dos paquetes diarios y vivió hasta los ochenta años, pero nunca piensan en los millones de personas que pierden la vida prematuramente a causa de este hierbajo venenoso.

Media docena de veces a la semana tengo esta conversación con los fumadores, normalmente personas jóvenes:

YO.—¿Por qué quieres dejarlo?

ÉL.—No me puedo permitir gastar tanto en cigarrillos.

YO.—¿No te preocupan los peligros para tu salud?

ÉL.—No, igual podría caerme delante de un autobús.

YO.—¿Te tirarías deliberadamente delante de un autobús?

ÉL.—Claro que no.

YO.—¿No te tomas la molestia de mirar a derecha y a izquierda antes de cruzar la calle?

ÉL.—Sí, claro.

Ahí lo tienes. El fumador se cuida mucho de que no le atropelle ningún autobús, aunque las posibilidades de que eso ocurra son muy remotas. Sin embargo, corre el riesgo (casi una cosa inevitable) de que el hierbajo le deje lisiado o le mate, y no parecen importarle los peligros. Tal es el poder del lavado de cerebro.

Me acuerdo de un famoso golfista británico que nunca acudió a las competiciones de golf en los Estados Unidos porque tenía miedo a los aviones. Pero, mientras jugaba, fumaba compulsivamente. Si creyéramos que iba a haber una avería en un avión, no subiríamos en él, aunque la probabilidad de un accidente mortal fuese de cientos de miles contra uno, pero aceptamos una probabilidad de muerte prematura de tres contra uno con el tabaco, aparentemente, sin pestañear. ¿Y qué es lo que recibe el fumador a cambio? NADA EN ABSOLUTO.

Otro mito común es la tos de fumador. Muchos de los fumadores más jóvenes que vienen a mis sesiones no están preocupados por su salud porque no tosen. Los hechos reales demuestran lo contrario. La tos es un mecanismo automático de la naturaleza para expulsar los cuerpos extraños de los pulmones. La tos no es una enfermedad, es sólo un síntoma. Cuando un fumador tose es porque sus pulmones intentan expulsar los alquitranes y demás venenos que producen cáncer. Si no tose, esas porquerías se quedan en los pulmones, y serán estas las que causen el cáncer.

Míralo de la siguiente manera. Si tuvieras un coche bueno, sería una estupidez permitir que empezase a oxidarse, porque al cabo de cierto tiempo se convertiría en un montón de óxido y ya no te llevaría de un sitio a otro. Pero no sería el fin del mundo; no es más que dinero, siempre te puedes comprar otro. Pues tu cuerpo es el vehículo que te lleva de un extremo de la vida al otro. Todos decimos que la salud es nuestra posesión más importante, y cuánta razón tenemos. Todos los millonarios enfermos te dirán lo mismo. Muchos podemos recordar en alguna enfermedad o algún accidente, cómo rezábamos para mejorarnos (¡QUÉ POCA MEMORIA TENEMOS!). Si fumas, además de dejar que se oxide el vehículo que te lleva por la vida, estás destruyendo sistemáticamente el vehículo que necesitas para llevarte a través la vida, y sólo te dan uno.

Despierta. Nadie te obliga a fumar, y, recuerda, NO HACE NADA EN ABSOLUTO POR TI.

Sólo por un momento deja de esconder la cabeza y pregúntate: ¿Sabes con certeza si el próximo pitillo que fumes no será el que dispare el mecanismo del cáncer? ¿Te lo fumarías si lo supieras? Olvida la enfermedad porque es difícil imaginar cómo es. Imagínate que tienes que ir al hospital para que te hagan todas esas horribles pruebas, el tratamiento con sustancias radioactivas y demás. Ya no estás planificando el resto de tu vida. Ahora estás planificando tu propia muerte. ¿Qué les va a ocurrir a tus familiares y a tus seres queridos? ¿Qué va a ser de todos tus planes y tus sueños?

Muchas veces veo a personas en esta situación. Tampoco creyeron que les podía ocurrir a ellas, y lo peor no es la enfermedad en sí, sino el saber que se la han producido ellas mismas. Durante todos los años que fumamos nos decimos: «Lo dejaré mañana.» Intenta imaginar cómo se sienten estas personas que lo han dejado demasiado tarde. Para ellas se ha acabado el lavado de cerebro. Ellas ya ven la realidad del tabaco, pasan lo que les queda de vida diciéndose: «¿Por qué me engañé a mí mismo? ¡Ay, si pudiera volver a empezar!»

Deja de engañarte. Tú tienes la oportunidad de dejarlo. Es una reacción en cadena. Si fumas el próximo cigarrillo, te llevará a otro y a otro. Ya te está ocurriendo.

Al principio del libro prometí no usar tácticas atemorizantes. Si ya has decidido que vas a dejar de fumar, esto no es un tratamiento de choque para ti. Si todavía dudas, sáltate el resto de este capítulo y vuelve cuando hayas terminado el libro.

Se han publicado volúmenes enteros de estadísticas para demostrar que el tabaco perjudica la salud del fumador. Lo malo es que el fumador no quiere ver la evidencia hasta que decide dejar de fumar. Incluso ese aviso que ponen en el paquete no sirve para nada, porque el fumador cierra los ojos, y si por casualidad lo lee alguna vez, lo primero que hace es encender un cigarrillo.

Los fumadores tienden a ver este riesgo como una cosa de azar, un poco como atravesar un campo de minas. Hazte a la idea, ya te está ocurriendo. Con cada calada metes en tus pulmones esos alquitranes cancerígenos, y el cáncer no es la peor de las enfermedades que el tabaco puede causar o agravar. También contribuye de una manera decisoria al infarto, a la arteriosclerosis, al enfisema, a la angina de pecho, a la trombosis, a la bronquitis crónica y al asma.

Los fumadores también tienen la idea errónea de que se exageran los efectos nocivos del tabaco. En realidad es al revés. No hay duda alguna de que el tabaco es el principal causante de muertes en la sociedad occidental. Lo malo es que las estadísticas no reflejan la influencia del tabaco en muchos casos en los que es un factor importante.

Se han publicado datos que demuestran que el 44 por 100 de los incendios domésticos se deben a los cigarrillos, y yo me pregunto cuántos accidentes de carretera se producen en ese instante en que el conductor deja de mirar la carretera mientras enciende un cigarrillo.

Yo soy normalmente un conductor prudente, pero nunca he estado más cerca de la muerte (excepto por fumar) que en una ocasión cuando intentaba liar un cigarrillo mientras conducía. Tampoco me gustaría calcular el número de veces que se me ha caído un cigarrillo encendido en el coche. Siempre se las arreglaba para meterse entre los asientos. Estoy seguro de que hay muchísimos conductores que saben lo que es intentar localizar ese cigarrillo encendido con una mano, mientras tratan de conducir con la otra.

El lavado de cerebro nos hace pensar en aquel personaje famoso que se cayó desde lo alto de un edificio de cien pisos. Al pasar por delante de la ventana del piso cincuenta, se le oyó decir: «Hasta ahora no ha pasado nada.» Creemos que como no nos ha ocurrido nada aún, un cigarrillo más, no nos va a hacer ningún daño.

Míralo de otra forma. El famoso hábito es una cadena continua para toda la vida, y cada cigarrillo crea la necesidad del siguiente. Cuando empiezas a fumar, enciendes una mecha. Lo que pasa es que NO SABES CUÁNTO VA A DURAR LA MECHA. Cada vez que enciendes un cigarrillo estás un poco más cerca de la explosión de la bomba. ¿CÓMO SABRÁS SI EL PRÓXIMO PITILLO ES EL FINAL DE LA MECHA?

Capítulo 18

La vitalidad

La mayoría de los fumadores se dan cuenta de que están obstruyendo sus vías respiratorias, pero no suelen darse cuenta del letargo general que el tabaco produce.

Además de congestionar los pulmones, el fumador también obstruye sus venas y sus arterias con venenos como la nicotina y el monóxido de carbono, entre otros.

Nuestros pulmones y todo nuestro sistema de riego sanguíneo están diseñados para llevar oxígeno y varias sustancias nutritivas a todos los órganos y músculos del cuerpo. Progresivamente el fumador está privando a cada músculo y órgano de oxígeno, lo cual hace que funcionen cada vez con menos eficacia. No sólo se vuelve más y más aletargado cada día, sino que también cada día se hace menos resistente a otras enfermedades.

Como es un proceso muy lento, el fumador no se da cuenta de qué está ocurriendo. Cada mañana no se encuentra diferente que la mañana anterior, y como no se encuentra realmente enfermo, tiende a pensar que este letargo continuo es simplemente el efecto del envejecimiento.

Después de haber estado en plena forma en mi juventud, estuve permanentemente cansado durante veinticinco años. Creía que la vitalidad era sólo cosa de niños y adolescentes. Uno de los maravillosos beneficios que encontré poco después de dejar de fumar, fue sentir de nuevo la sensación de vitalidad, de querer hacer ejercicio.

Este abuso del cuerpo y el letargo consiguiente llevan a otros males: el fumador tiende a evitar todo ejercicio o deporte, y a comer y a beber en exceso.

Capítulo 19

Me relaja y me da confianza

Esta es la peor falsedad de todas las relacionadas con el tabaco, y para mí está al mismo nivel que la esclavitud que produce el fumar. El mayor beneficio que recibes cuando dejas de fumar es el no tener que vivir con esa sensación de inseguridad permanente que padecen los fumadores.

A los fumadores les cuesta creer que es el mismo tabaco el que produce esa sensación de inseguridad que sienten por la noche, cuando se les acaban los cigarrillos. Los no-fumadores no padecen la sensación. Es el tabaco lo que la produce.

Me di cuenta de las grandes ventajas de no fumar al cabo de varios meses de haberlo dejado, tras muchas sesiones con otros fumadores.

Durante veinticinco años me negué a hacerme un chequeo médico. Si necesitaba un seguro de vida, insistía en que no debía haber un certificado médico, y, por lo tanto, pagaba primas más altas. Odiaba visitar los hospitales, a los médicos y a los dentistas. No reconocía que antes o después envejecería y que tendría que pensar en el retiro, la pensión y cosas así.

Nunca relacionaba estas cosas con el fumar, pero desde que lo dejé ha sido como despertarme de una pesadilla. Ahora espero cada día con ilusión. Por supuesto me siguen ocurriendo cosas desagradables, y tengo todos los problemas normales de la vida, pero es maravilloso tener confianza para enfrentarme a ellos. Además, disfruto más de las cosas buenas de la vida, debido a que ahora tengo mejor salud, más vitalidad y más confianza en mí mismo.

Capítulo 20

Esas siniestras sombras negras

Cuando dejas de fumar, también gozas de haberte liberado de esas siniestras sombras negras que merodean en el fondo de tu mente.

Todos los fumadores saben que están haciendo el primo, y esconden la cabeza para no ver los efectos nocivos del tabaco. A lo largo de nuestra vida de fumadores, sin embargo, hay momentos en que las sombras salen a la superficie: cuando vemos ese aviso en el paquete, en el Día Nacional anti-tabaco, en un ataque de tos violenta, cuando sentimos algún dolor en el pecho, en la mirada suplicante de algún familiar, al ser conscientes de que nos huele mal el aliento y de lo manchados que están nuestros dientes, cuando hablamos con un no-fumador.

Y, además de todo esto, la pérdida de respeto por uno mismo asociada con el ser fumador.

Aunque no nos demos cuenta de estas cosas, las sombras están siempre ahí, debajo de la superficie; este tira y afloja irá a más, a medida que te vayas hundiendo en el hábito.

En los últimos capítulos he descrito las ventajas considerables de no fumar. Con el fin de presentar una argumentación objetiva y equilibrada, he decidido exponer en el próximo capítulo una relación de las ventajas de ser fumador.

Las ventajas de ser fumador

La fuerza de voluntad como método para dejar de fumar

En nuestra sociedad todos están de acuerdo en que es muy difícil dejar de fumar. Los mismos libros que te ofrecen consejos, para ayudarte empiezan diciendo que lo vas a encontrar difícil. La verdad es que es absurdamente fácil. Comprendo que dudes de la veracidad de esta aseveración, pero vamos a considerarlo detenidamente.

Si tu objetivo es correr una milla en menos de cuatro minutos, eso sí que es difícil. Tendrás que soportar varios años de duros entrenamientos, y aun así puede que no reúnas las condiciones físicas para conseguirlo. (Mucho de esto es psicológico también. Resulta curioso ver cómo el recorrer una milla en cuatro minutos era una barrera infranqueable hasta que Roger Bannister lo consiguió a principios de los sesenta. Ahora hay muchos corredores capaces de hacerlo.)

Para dejar de fumar lo único que tienes que hacer es no fumar más. Nadie te obliga a fumar (excepto tú mismo) y no es como los alimentos o las bebidas: no lo necesitas para sobrevivir. Entonces, si quieres dejar de hacerlo, ¿por qué habría de resultar tan difícil? No lo es. Son los mismos fumadores quienes lo hacen difícil cuando usan lo que yo llamo el Método de la Fuerza de Voluntad. Defino el Método de la Fuerza de Voluntad como el método en el que el fumador cree que hace algún tipo de sacrificio. Examinaremos el Método de la Fuerza de Voluntad.

Nosotros no decidimos hacernos fumadores. Simplemente probamos unos cuantos cigarrillos al principio y como saben fatal estamos convencidos de que podamos dejarlo cuando queramos. Por regla general, fumamos esos primeros cigarrillos sólo cuando queremos hacerlo, y esto generalmente en compañía de otros fumadores o en situaciones sociales.

Y, antes de que nos demos cuenta, nos vemos comprando con regularidad y estamos fumando habitualmente.

Tardamos bastante tiempo en percatarnos de que estamos enganchados, pues tenemos la idea equivocada de que los fumadores fuman porque les gusta, no porque tienen que fumar. Mientras no nos gustan los cigarrillos, cosa que no ocurre nunca, creemos erróneamente que los podemos dejar cuando queramos.

Solemos darnos cuenta de la existencia del problema la primera vez que tratamos de dejar de fumar. Estos primeros intentos suelen hacerse mientras todavía somos jóvenes y tienen su origen en la falta de dinero (la pareja que ahorra para montarse una casa, y que no quiere malgastar dinero en tabaco) o en la preocupación por la salud (el chico joven que todavía hace deporte y que no respira como antes). Sea cual sea el motivo, el fumador siempre esperará un momento de estrés, o de preocupación por el dinero o por la salud. En cuanto lo deja, el «monstruito» reclama su dosis. Entonces es cuando el fumador necesita un cigarrillo, y si no puede tenerlo su nerviosismo aumenta. El producto que suele tomar para aliviar el estrés ya no está disponible, y el fumador sufre un triple golpe. Después de un corto período de tortura, suele llegar a un compromiso: «Seguiré fumando, pero menos»; «he elegido un mal momento»; «me esperaré hasta que tenga menos estrés en mi vida». Una vez desaparecido el período de estrés, también desaparecerán los motivos que le empujaban a dejar de fumar, y no decidirá dejarlo hasta que llegue otro período de estrés. Por supuesto nunca llega el momento idóneo, porque el estrés no suele disminuir a lo largo de la vida, sino aumentar.

Salimos de la protección del hogar de nuestros padres y entramos en un mundo en el que hay que montarse una casa, conseguir una hipoteca, tener hijos, más responsabilidad en el trabajo, etc. Poco puede disminuir el estrés en la vida de un fumador, cuando gran parte de este estrés es producido por el tabaco. A medida que aumenta su dosis diaria de nicotina, más nervioso se siente, y mayor parece ser su dependencia.

En realidad, es una idea equivocada que el estrés de la vida aumente a lo largo de los años, sino que es el fumar mismo u otro apoyo parecido lo que crea esa ilusión. Se hablará más de esto en el capítulo veintiocho.

Después de un primer fracaso, el fumador suele confiar ciegamente en la posibilidad de despertarse un buen día sin ganas de fumar. La llama de esta esperanza es avivada por lo que ha oído comentar a otros ex fumadores (por ejemplo: «Tuve la gripe, y se me fueron las ganas de fumar»).

No te engañes. He investigado muchas historias de esas, y nunca son tan sencillas como parecen. Lo que suele ocurrir es que el fumador se había estado preparando para dejar de fumar antes de tener la gripe, y esta sólo le sirvió de trampolín. Yo estuve unos treinta años esperando despertar un día sin tener ganas de volver a fumar en mi vida. Pero cada vez que tenía alguna molestia en los pulmones, estaba deseando que acabara pronto, porque esta interfería con el fumar.

Es frecuente el caso de personas que dejan de fumar «así, sin más», porque han tenido algún tipo de susto. A lo mejor algún pariente ha muerto de una enfermedad relacionada con el tabaco, o el mismo fumador se ha asustado, después de hacerse un chequeo. Pero para él, es mucho más fácil decir: «Nada, un día decidí dejarlo.» Deja de engañarte, no se irán las ganas de fumar si no tomas cartas en el asunto tú mismo.

Vamos a ver con más detalle por qué el «Método de la Fuerza de Voluntad» es tan difícil. Durante casi todo el tiempo, nuestra actitud es la de esconder la cabeza pensando: «Lo dejaré mañana». Muy de vez en cuando ocurre algo que nos empuja a dejarlo. Puede estar relacionado con la salud, el dinero, el rechazo social, o simplemente después de una racha de tos violenta; entonces nos damos cuenta de que en realidad no nos gusta.

Sea cual sea el motivo, abrimos los ojos y empezamos a sopesar los argumentos a favor y en contra. Nos encontramos con algo que hemos sabido toda la vida; que la única respuesta razonable más una docena de veces es: ¡DEJA DE FUMAR!

Si nos sentáramos tranquilamente y valorásemos las ventajas de no fumar sobre una puntuación máxima de diez, y luego hiciéramos lo mismo con una lista de las ventajas de fumar, no fumar ganaría por mayoría.

Sin embargo, aunque el fumador sepa que está mejor sin fumar, sigue creyendo que se sacrifica. Esto es ilusorio, pero es una ilusión muy poderosa. El fumador no sabe por qué, pero cree que tanto en los momentos malos de la vida como en los buenos, el tabaco parece ayudarle de alguna manera.

Antes de comenzar el intento de dejar de fumar, padece el lavado de cerebro de la sociedad, reforzado por el lavado de cerebro de su propia adicción. Ahora se le añade otro lavado de cerebro más potente: la dificultad de dejarlo.

Nuestro fumador sabe de otros fumadores que lo dejaron hace muchos meses y ahora se consumen por un cigarrillo. También están los «quejicosos permanentes» (los que lo dejan y luego se pasan el resto de la vida diciendo lo que les apetecería un cigarrillo). Nuestro fumador también sabe de casos en que alguien lo dejó hace muchos años, parecía feliz, y luego, al fumar un sólo cigarrillo, se engancha otra vez. Probablemente conozca a algunos fumadores en avanzado estado de decrepitud, que se están destruyendo y que evidentemente no disfrutan del tabaco, pero que siguen fumando. Además, es probable que haya pasado por algunas de estas experiencias él mismo.

Entonces, en lugar de empezar diciendo: «¡Qué bien! ¿Sabes? ¡ya no tengo que fumar!» Empieza con una sensación de desesperación y de temor, como si tuviera que escalar el Everest; cree firmemente esta vez que el «monstruito» le ha metido la garra, está enganchado de por vida. Muchos fumadores empiezan incluso advirtiendo a sus familiares y a sus amigos: «Mirad, voy a intentar dejar de fumar. Lo más probable es que durante unas semanas esté bastante insufrible; intentad comprenderlo.» La mayoría de los intentos está destinada al fracaso antes de empezar.

Vamos a suponer que el fumador aguanta unos días sin fumar. La congestión va desapareciendo de sus pulmones rápidamente. No ha comprado tabaco, y por tanto tiene más dinero en el bolsillo. Entonces, los motivos que le empujaron a dejarlo también empiezan a desaparecer de sus pensamientos. Es como cuando vas en coche y ves un accidente grave; durante un tiempo vas más despacio, pero la siguiente vez que llegas tarde al trabajo, lo olvidas por completo y vuelves a pisar el acelerador.

Al otro extremo de ese tira y afloja está el «monstruito», que no ha tenido su dosis. No hay ningún dolor físico; si fuese un resfriado lo que te produjera la misma sensación, ni siquiera dejarías de trabajar, ni te deprimirías; no le harías caso. Lo único que sabe el fumador es que le apetece un cigarrillo. Entonces el pequeño «monstruito» que duerme en tu cuerpo, despierta al gran «monstruo» de la mente, y de repente esa persona, que hace unas horas o unos días se hacía una lista de las ventajas de no fumar, ahora busca desesperadamente cualquier excusa para empezar otra vez, diciendo cosas como estas:

1. La vida es demasiado corta; podría haber una guerra nuclear mañana; me podría atropellar un autobús; ya es demasiado tarde; y de todas formas dicen que hoy día, todo te produce cáncer;
   o bien:

2. He elegido un mal momento. Tenía que haber esperado hasta después de Navidad, o hasta después de las vacaciones. Hubiera sido mejor elegir un momento de menos estrés;
   o bien:

3. «No me puedo concentrar, me estoy volviendo malhumorado e insoportable. No puedo trabajar como antes. Mis amigos y mis familiares dejarán de quererme. Por el bien de todos, voy a tener que volver a fumar. Soy un fumador confirmado y nunca podré ser feliz sin tabaco.» (Esto es lo que hacía que yo siguiera fumando durante treinta y tres años.)

Este es el momento en que el fumador se suele rendir. Enciende un cigarrillo y la esquizofrenia aumenta. Por un lado, tiene el enorme alivio de haber acabado con la ansiedad cuando el «monstruito» por fin recibe su dosis; y por otro lado, el cigarrillo sabe fatal (esto si el fumador ha aguantado bastante tiempo) y el fumador no entiende por qué lo fuma. El fumador piensa que le falta fuerza de voluntad. En realidad no es falta de fuerza de voluntad: simplemente ha cambiado de opinión, y su decisión es perfectamente razonable dada la evidencia: ¿De qué sirve estar sano y tener dinero si estás deprimido? De nada en absoluto. Mejor tener una vida corta y disfrutarla, que vivir más años sin felicidad.

Afortunadamente, no es así, sino justo lo contrario. Se disfruta infinitamente más de la vida como no-fumador. Pero estos fueron los argumentos que me tuvieron a mí fumando durante treinta y tres años, y debo confesar que si fueran ciertos, todavía fumaría (perdón, ya no estaría aquí).

Los padecimientos del fumador no tienen nada que ver con la retirada de la droga. Puede ser que el *mono* sea el responsable de iniciar el proceso, pero el verdadero sufrimiento es psicológico, es la duda y la incertidumbre. Si el fumador empieza creyendo que está haciendo un sacrificio, se sentirá privado de algo: una forma de estrés. Y es precisamente en los momentos de estrés, cuando se dispara el mecanismo en el cerebro, que le dice: «Fúmate un pitillo.» Entonces, desde el momento en que deja de fumar, está deseando un cigarrillo. Pero ahora no puede porque ha dejado el tabaco. Esto le deprime más todavía, disparando el deseo otra vez.

Otra cosa que lo hace tan difícil, es esperar que ocurra algo. Si tu meta fuera aprobar el examen de conducir, considerarías que el aprobado es la meta alcanzada. Con el Método de la Fuerza de Voluntad te dices a ti mismo: «Si puedo aguantar lo suficiente, desaparecerá el deseo de fumar.»

¿Y cómo sabes cuándo has alcanzado esta meta? Está claro, nunca lo sabrás, porque esperas que ocurra algo y no va a ocurrir nada. Ya sucedió cuando fumaste ese último cigarrillo, y lo que haces ahora en realidad es esperar a ver cuánto tiempo aguantarás sin rendirte.

Como ya dije antes, el verdadero tormento sufrido por el fumador es psicológico, producido por la incertidumbre. Aunque no hay ningún dolor físico, los efectos son muy poderosos. El fumador se siente desgraciado e inseguro. En lugar de olvidarse del asunto de fumar, le obsesiona.

Pueden pasar días o incluso semanas enteras de negra depresión. Su mente se obsesiona con dudas y temores:

— «¿Cuánto tiempo durará la ansiedad?»
— «¿Volveré a ser feliz alguna vez?»
— «¿Me podré levantar por las mañanas y afrontar el nuevo día?»
— «¿Podré disfrutar alguna vez de una comida?»
— «¿Cómo voy a afrontar el estrés en el futuro?»
— «¿Volveré a disfrutar alguna vez de la compañía de mis amigos?»

El fumador espera que mejoren las cosas, pero mientras dura esta depresión no valora menos el tabaco, sino más.

La realidad es que ocurre algo, pero el fumador no se da cuenta de ello. Si aguanta tres semanas sin absorber nada de nicotina, la adicción física desaparece, y la ansiedad producida por la retirada de la nicotina es tan leve que el fumador ni se entera. Después de unas tres semanas tiene la sensación de haber ganado, enciende un cigarrillo para demostrarlo, y ya está; demostrado. Sabe fatal. Pero ya se ha introducido nicotina en el cuerpo, y en cuanto se apaga ese cigarrillo, la nicotina empieza a salir del cuerpo. Entonces se oye una pequeña voz que desde la oscuridad de la mente dice: «Ahora quiero otro.» El fumador en efecto había vencido a la droga, pero se ha vuelto a enganchar.

Normalmente el fumador no encenderá otro cigarrillo inmediatamente. Piensa: «No quiero engancharme de nuevo.» Por tanto, deja que transcurra un período seguro; puede que dure horas, días o incluso semanas. Ahora el ex fumador puede decir: «Bueno, no me he enganchado, por tanto, puedo fumarme otro sin peligro.» Ha vuelto a caer en la misma trampa, en la cual cayó al principio, y ya se encuentra en la resbaladiza pendiente.

Los que consiguen dejar de fumar con el Método de la Fuerza de Voluntad, suelen encontrar el proceso largo y difícil, porque el problema fundamental es el lavado de cerebro, y siguen anhelando el tabaco mucho después de haber eliminado la ansiedad física por la retirada de la droga. Al final, si uno aguanta mucho tiempo, empieza a darse cuenta de que no va a rendirse. Deja de estar deprimido y acepta el hecho de que se vive divinamente sin fumar.

Son muchos los que dejan de fumar con este método, pero es difícil y arduo y hay muchos más fracasos que éxitos. Incluso los que lo consiguen pasan el resto de su vida en un estado de vulnerabilidad. Se les queda parte del lavado de cerebro, y siguen creyendo que hay momentos buenos y malos, en los que el cigarrillo les ayudaría. (La mayoría de los no-fumadores también tiene esta idea equivocada.) Ellos también son víctimas del lavado de cerebro, pero o bien no llegan a aprender a «disfrutar» del fumar o no quieren los efectos malos. Esto explica que haya gente que al estar sin fumar durante largo tiempo, de repente vuelve. Muchos ex fumadores se fuman un cigarrillo de vez en cuando, o quizás un puro, como «recompensa especial», o para recordar lo mal que saben. Hacen exactamente esto, pero, en cuanto lo apagan, la nicotina empieza a salir del cuerpo y una vocecita del fondo de su mente está diciendo: «Te apetece otro.»

Sí, encienden otro que les sabe fatal, y dicen:

«¡Qué bien! Como no disfruto con ellos, no me engancharé. Después de Navidad, al terminar las vacaciones, o cuando desaparezcan estos problemas, lo volveré a dejar.»

Demasiado tarde. Ya están enganchados. La misma trampa en la que cayeron al principio les ha atrapado de nuevo.

No me canso de repetir que el gusto o el disfrute no tienen nada que ver. ¡Nunca tuvo nada que ver! Si fumásemos por gusto, nadie fumaría más de un cigarrillo. Nos creemos que nos gusta porque no podemos admitir que seríamos estúpidos si fumásemos algo que no nos gustase. Esto es porque fumamos de manera inconsciente la mayor parte del tiempo. Si cada vez que fumaras un cigarrillo, fueras consciente del humo asqueroso que entra en tus pulmones, y tuvieras que decirte a ti mismo: «Esto me va a costar cinco millones de pesetas a lo largo de mi vida, y puede que este mismo cigarrillo sea el que dispare el proceso de cáncer en mis pulmones», incluso la idea equivocada del disfrute desaparecería. Cuando intentamos cerrar la mente ante el lado malo, nos sentimos estúpidos. Si tuviéramos que afrontarlo, esto sería inaguantable. Si observas a fumadores, especialmente en situaciones sociales, verás que sólo son felices cuando están fumando de modo inconsciente. Una vez que se dan cuenta de que están fumando, se vuelven incómodos y llenos de disculpas. Fumamos para satisfacer al dichoso «monstruito»… y una vez que hayas echado el pequeño «monstruo» de tu cuerpo y el gran «monstruo» de tu cabeza, nunca tendrás ni ganas ni necesidad de fumar. Así de fácil.

Capítulo 23

Ojo con reducir el consumo

La mayoría de los fumadores optan por reducir el consumo de tabaco, bien como paso antes de dejarlo del todo, o como forma de controlar el «monstruito». Muchos médicos y especialistas aconsejan reducir el número de cigarrillos fumados, para empezar el proceso de dejar de fumar.

Está claro que cuanto menos fumes mejor, pero es el peor de los métodos para iniciar el proceso de la retirada total. Cualquier intento de fumar menos te ata más y para más tiempo.

Se suele intentar fumar menos tras un intento fallido de dejarlo. Al cabo de unas horas o de unos días de abstinencia, el fumador dice algo así:

«Cómo no voy a poder soportar el no fumar nada, sólo fumaré en los momentos en que más me gusta, o me limitaré a diez diarios. Si me acostumbro a fumar diez al día, luego será fácil reducirlo más.»

Entonces empiezan a ocurrir ciertas cosas terribles:

1. El fumador tiene lo peor de ambos mundos. Está todavía enganchado con la nicotina, y mantiene vivos ambos «monstruos», el del cuerpo y el de la mente.

2. Se pasa la vida esperando el momento del próximo cigarrillo.

3. Antes de limitar su consumo, cuando necesitaba un cigarrillo, encendía uno y aliviaba al menos parcialmente el *mono*. Además de las tensiones normales de la vida, está prolongando las molestias del *mono* de modo permanente. Durante la mayor parte del tiempo desea fumar. Por su propia culpa, se vuelve depresivo y malhumorado.

4. Mientras fumaba los que quería, ni disfrutaba de la mayor parte de los cigarrillos ni se daba cuenta de que los fumaba. Era una actividad mecánica. Los únicos que creía disfrutar eran los que fumaba después de un tiempo de abstinencia, por ejemplo, el primero de la mañana, el de después de comer.

Ahora que tiene que esperar una hora más entre cigarrillo y cigarrillo, disfruta de todos ellos. Cuanto más tiempo espera, más parece disfrutar el cigarrillo; porque el disfrute del cigarrillo no es del cigarrillo en sí, sino es el alivio de las molestias producidas por el *mono*, sea ansiedad física leve por la retirada de la nicotina o *mono* mental. Cuanto más tiempo te obligas a sufrir, más «disfrutas» de cada cigarrillo.

La dificultad principal cuando se deja de fumar no es la adicción química, eso es fácil de vencer. Los fumadores están toda la noche sin fumar, y la ansiedad ni siquiera les despierta. Muchos salen del dormitorio antes de encender un cigarrillo. Otros desayunan primero. Incluso los hay que esperan hasta llegar al trabajo.

Son capaces de estar diez horas sin fumar, y no parece importarles. Pero si tuvieran que estar diez horas sin fumar durante el día, se volverían locos.

Hay fumadores que se compran un coche nuevo y deciden no fumar en él. Van a los supermercados, los teatros, las consultas médicas, los hospitales, o a ver al dentista sin que les produzca grandes molestias. Muchos fumadores se abstienen de fumar cuando se ven rodeados de no-fumadores. Hasta en el Metro la gente está tranquila y no altera el orden; hay veces en que las personas agradecen la prohibición de fumar. Lo cierto es que los fumadores experimentan un placer secreto durante estos períodos de abstinencia obligada: les aviva la esperanza de que algún día se les quitarán las ganas.

El verdadero problema al dejar de fumar es el lavado de cerebro. La idea errónea de que el cigarrillo constituye algún tipo de ayuda o recompensa, y que la vida nunca podría ser igual sin él. En lugar de quitarte las ganas de fumar, lo único que consigues cuando limitas el número de cigarrillos es hacerte sentir inseguro y desgraciado, y convencerte de que lo que más apetece en este mundo es el próximo cigarrillo; que nunca serías feliz sin fumar.

No hay nada más patético que el fumador que intenta reducir su consumo. Cree, equivocadamente, que cuanto menos fume, menos querrá fumar. Y es justo lo contrario. Cuanto menos fuma, más tiempo tiene que aguantar el *mono*, más le gustan los cigarrillos, y peor le saben. Pero no por eso dejarás de fumar. El sabor nunca tuvo nada que ver. Si los fumadores fumasen porque les gustara el sabor, nadie fumaría más de un cigarrillo en su vida. ¿No te lo puedes creer? Vale. Vamos a discutirlo. ¿Cuál es el cigarrillo que peor sabe? Justo: el primero de la mañana, el que en invierno nos pone a toser y a carraspear. ¿Cuál suele ser el cigarrillo más apreciado por la mayoría de los fumadores? Sí, señor, ¡el primero de la mañana! ¿Ahora puedes realmente creer que te lo fumas para disfrutar de su sabor y su olor? ¿No crees que una explicación más racional sería que en ese momento estás aliviando ocho o nueve horas de *mono*?

El reducir el consumo no sólo no funciona; es una forma de auténtica tortura. No funciona porque el fumador inicialmente espera que si puede cambiar su hábito y fumar cada vez menos, entonces al final reducirá su deseo de fumar. No es ningún hábito, es una adicción, y una característica de las adicciones es que siempre van a más, nunca a menos. Entonces, para reducir su consumo, el fumador tiene que emplear fuerza de voluntad y disciplina durante el resto de su vida.

El problema principal, al dejar de fumar, no está en la adicción química a la nicotina, que es bastante fácil de vencer. El problema está en dar por cierto que el tabaco produce algún tipo de placer. Esta creencia empieza con el lavado de cerebro recibido antes de empezar a fumar, y luego se ve reforzada por nuestra propia adicción. Reducir el consumo lo único que hace es reforzar todavía más la ilusión, hasta el punto en que el fumar domina todos los pensamientos del fumador y le convence de que lo que más valor tiene en este mundo es el próximo cigarrillo.

Como ya he dicho, reducir el consumo no puede funcionar de ninguna forma, porque dependerás de tu fuerza de voluntad durante el resto de la vida. Si no tenías voluntad suficiente para dejarlo por completo, no la vas a tener para reducir el número de cigarrillos. Lo más fácil (por mucho) es dejarlo por completo.

Conozco literalmente miles de casos de fracaso en el intento de reducir el consumo. En las pocas ocasiones en las que se ha podido conseguir son aquellas en las que el fumador reduce el consumo durante un tiempo corto para luego «mojarse» dejando el tabaco por completo. En esto no le ha ayudado en absoluto la reducción previa, sino todo lo contrario. Lo único que hizo fue prolongar el sufrimiento.

Cualquier intento fallido deja al fumador hecho un desastre psicológicamente; más convencido que nunca de que está enganchado para el resto de la vida. El efecto suele ser suficientemente fuerte para impedir que vuelva a intentarlo en un período de cinco o seis años.

Sin embargo, los intentos de reducir el consumo sí ayudan a demostrar la futilidad del hábito del fumar en todos sus aspectos; prueban claramente que sólo se disfruta de los cigarrillos después de un período de abstinencia. O sea, que tienes que darte con la cabeza contra un muro de piedra (es decir sufrir el *mono*) para poder disfrutar al dejar de hacerlo.

En tal caso, tienes estas opciones:

1. Reducir el consumo y mantenerlo bajo para el resto de la vida. Es una tortura autoimpuesta, y de todas formas no vas a poder aguantarlo.
2. Seguir asfixiándote hasta que te mueras. ¿Cuál es el sentido?
3. Hacerte un favor a ti mismo: déjalo.

Otra cosa importante que queda demostrada por la imposibilidad de reducir el consumo es que no existe eso de «un cigarrillo de vez en cuando». El tabaco crea una reacción en cadena que durará toda tu vida, a menos que hagas un esfuerzo positivo y la rompas.

ACUÉRDATE: SI FUMAS MENOS, SUFRIRÁS MÁS.

Capítulo 24

Un solo cigarrillo

«Un solo cigarrillo»: es un mito que tienes que quitarte de la cabeza. Es precisamente «un solo cigarrillo» lo que nos hace empezar a fumar.

Es «un solo cigarrillo» para consolarnos, cuando estamos pasando una mala racha o en alguna ocasión especial, lo que nos hace fracasar en nuestros intentos de dejarlo.

Es «un solo cigarrillo» lo que hace saltar la trampa otra vez y atrapa de nuevo a los que habían conseguido vencer la adicción. A veces se fuma ese cigarrillo para demostrar que uno ya no necesita el tabaco, y es exactamente eso lo que hace: sabe fatal y convence al fumador de que nunca más se enganchará de nuevo, pero ya está enganchado.

Muchas veces es el pensamiento de tener que vivir sin ese cigarrillo especial lo que impide que los fumadores intenten dejar de fumar: el primero de la mañana o el de después de comer.

¿Un solo cigarrillo? Grábatelo en la cabeza, no existe tal cosa. Es una reacción en cadena que durará el resto de tu vida a menos que la rompas.

El mito del cigarrillo especial, en ciertos momentos especiales, es lo que hace que algunos se depriman cuando dejan de fumar. Acostúmbrate a la idea, no se puede pensar en un solo cigarrillo o cajetilla, es pura fantasía. Cuando reflexiones sobre el fumar, piensa en una vida entera llena de suciedad, donde te gastas una pequeña fortuna para tener el privilegio de destruirte física y mentalmente; una vida entera de esclavitud, de mal aliento y todas esas cosas.

Es una lástima que no haya ningún producto que podamos usar en algunos momentos, tanto buenos como malos, para estimularnos o proporcionarnos placer. Grábate en la cabeza que el tabaco no sirve para eso. Tienes que optar: o una vida entera de sufrimiento, o ningún sufrimiento en absoluto. No se te ocurriría tomar cianuro porque te gustase el sabor a almendra amarga, ¿verdad? Entonces, no te castigues pensando en un cigarrillo o un puro de vez en cuando.

Pregúntale a un fumador: «¿Si pudieras volver a los tiempos de antes de engancharte, serías fumador?» Siempre contestan: «Ni en broma.» Sin embargo, todos los fumadores tienen esa opción todos los días de su vida, ¿por qué no la eligen? La respuesta es esta: por miedo. Miedo a no poder dejarlo, o a que la vida no sea igual sin tabaco.

No te engañes: tú lo puedes hacer, lo puede hacer cualquiera, es absurdamente fácil.

Para que sea fácil dejar de fumar, tienes que tener claros en la mente ciertos conceptos fundamentales. Ya hemos visto tres de ellos:

1. No se hace ningún sacrificio. Sólo hay beneficios positivos maravillosos.
2. Nunca pienses en fumar un cigarrillo de vez en cuando. No existe. Sólo conlleva una vida de suciedad y enfermedad.
3. Tú no eres diferente: cualquier fumador puede encontrar fácil dejar de fumar.

Capítulo 25

Los fumadores ocasionales, los jóvenes, los no fumadores

Los que fuman mucho tienden a envidiar a los fumadores ocasionales. No lo hagas. En cierto extraño modo, el fumador ocasional está más enganchado (y sufre más) que el que fuma mucho. Es verdad que corre menos riesgos con su salud, y que gasta menos dinero que tú, pero en otros aspectos está mucho peor.

Recuerda, nadie disfruta de los cigarrillos; sólo se disfruta aliviando el *mono*. La tendencia natural en una drogadicción es aliviar el *mono* al máximo: fumar constantemente.

Hay tres factores que nos impiden fumar compulsivamente:

1. DINERO: La mayoría no se lo pueden permitir.
2. SALUD: Para aliviar el *mono*, tenemos que ingerir un producto venenoso. La capacidad de resistencia al veneno varía de una persona a otra, y según la situación o período de su vida. Esto funciona como un freno automático fisiológico.
3. DISCIPLINA: La disciplina impuesta por la sociedad, el oficio, la familia, los amigos, o por el mismo fumador, como resultado del tira y afloja natural que existe en la mente de todos los fumadores.

Este es un buen momento para entrar en unas cuantas definiciones.

EL NO FUMADOR. Alguien que nunca ha caído en la trampa. No debe congratularse. Sólo son no fumadores por casualidad. Todos los fumadores estaban convencidos de que nunca se engancharían. Y algunos no fumadores siguen probando un cigarrillo de vez en cuando.

EL FUMADOR OCASIONAL. Aquí tenemos dos clasificaciones básicas:

1. El fumador que ha caído en la trampa y no se da cuenta. No le tengas envidia. Está en el primer peldaño de la escalera, y es muy probable que pronto sea fumador empedernido. Recuerda que tú también empezaste siendo un fumador ocasional.
2. El fumador que antes fumaba mucho y cree que no lo puede dejar. Este es el que más lástima da. Hay varias categorías, que debemos examinar más detalladamente:

EL QUE SE LIMITA A CINCO CIGARRILLOS AL DÍA. Si le gusta fumar, ¿por qué se limita a cinco diarios? Si es capaz de tomarlo o dejarlo, ¿por qué se empeña en fumar? Recuerda que el hábito es como darte constantemente con la cabeza contra un muro para poder relajarte cuando dejas de hacerlo. El que fuma cinco cigarrillos al día, sólo alivia el *mono* durante menos de una hora cada día. El resto del día, aunque él no se dé cuenta, está dando cabezazos contra el muro, y sigue haciéndolo casi toda su vida. Sólo fuma cinco al día, porque no tiene dinero para más o porque le dan miedo los riesgos para su salud. Es fácil convencer al fumador empedernido de que en el fondo no le gusta fumar, pero es casi imposible convencer al que fuma muy poco. Todos los que hemos intentado alguna vez reducir nuestro consumo sabemos que es la peor tortura y casi garantiza que te quedes enganchado para siempre.

EL QUE FUMA SÓLO POR LA MAÑANA O POR LA TARDE. Se castiga a sí mismo, padeciendo el *mono* durante la mitad del día, y aliviándolo durante la otra mitad.

Pregúntale por qué, si le gusta fumar, no fuma todo el día, y por qué, si no le gusta, se empeña en seguir fumando.

EL DE «SEIS MESES SÍ, SEIS MESES NO». (También se le conoce por decir cosas como: «Puedo dejarlo cuando quiero, ya lo he hecho miles de veces.») Si le gusta fumar, ¿por qué lo deja durante seis meses? Si no le gusta, ¿por qué vuelve a empezar? La verdad es que sigue enganchado. Logra vencer la adicción física, pero le queda el problema principal: el lavado de cerebro. Espera cada vez dejarlo para siempre, pero pronto vuelve a caer en la trampa. Muchos fumadores envidian a estas personas que pueden dejarlo y empezarlo supuestamente cuando quieran. Piensan: «¡Qué suerte poder controlarlo así, fumar cuando quieras y empezar cuando quieras.» Lo que no llegan a comprender es que estas personas no lo controlan. Cuando son fumadores desearían no serlo; luego pasan por la agravación de dejarlo, empiezan a sentirse privados y vuelven a caer en la trampa de nuevo. En ese momento desearían no haberlo hecho. Reciben lo peor de los lados. Cuando son fumadores desean no serlo; cuando son no fumadores desean poder fumar. Si lo piensas, esta es la realidad, durante toda nuestra vida como fumadores: cuando se nos permite fumar o bien lo tomamos como hecho consumado o deseamos no fumar. Es sólo ante la prohibición de fumar cuando más valor damos a los cigarrillos. Este es el terrible dilema de los fumadores. Nunca pueden ganar porque están anhelando melancólicamente una ilusión. Sólo hay una manera en la que pueden ganar: dejar de fumar y dejar de anhelar los cigarrillos.

EL FUMADOR DE: «SÓLO FUMO EN CIERTAS OCASIONES ESPECIALES.» Sí, eso es algo que todos hemos hecho al principio, pero ¿no es increíble ver cómo el número de ocasiones especiales parece ir en aumento, y sin darnos cuenta estamos fumando en todas las ocasiones.

EL QUE DICE: «YA LO HE DEJADO, PERO DE VEZ EN CUANDO ME FUMO UN PURO O UN PI-

TILLO.» En cierta manera, estos fumadores son los más patéticos de todos. O se pasan la vida sintiendo que les falta algo, o bien (y es lo más frecuente) ese purito de vez en cuando se convierte en dos. Están en una pendiente resbaladiza, y sólo pueden ir en un sentido, HACIA ABAJO. Antes o después vuelven a ser fumadores empedernidos. Han vuelto a caer en la misma trampa que les había atrapado al principio.

Existen otras dos categorías de fumadores ocasionales. La primera es la persona que sólo fuma un cigarrillo o puro de vez en cuando en ocasiones sociales. En realidad, estas personas son no fumadores. No disfrutan del fumar. Es sólo que sienten que están perdiendo algo. Quieren ser parte del grupo. Todos empezamos así. La próxima vez que se ofrezcan puros, observa cómo después de cierto tiempo los fumadores dejan de encender esos puros. Incluso los fumadores empedernidos no son capaces de acabarlos del todo. Preferirían estar fumando su propio tabaco. Cuanto más caro y grande el puro, tanto más frustrante es: parece ser que la «maldita cosa» dura toda la noche.

La segunda categoría se ve muy de vez en cuando. De hecho entre todos los miles de fumadores que han pedido mi ayuda, sólo puedo pensar en una docena de ejemplos. El caso siguiente sirve de buen ejemplo.

Una mujer me llamó pidiendo una sesión en privado. Es abogada, llevaba doce años fumando y nunca había fumado más de dos cigarrillos al día en su vida de fumadora. A propósito, era una señora de voluntad muy firme. Le expliqué que el porcentaje de éxito en sesiones de grupo era mayor que en sesiones individuales, y que de todos modos sólo estaba dispuesto a dar una sesión individual, si la cara de la persona fuera tan famosa que distrajera a otras personas en el grupo. Empezó a llorar y no fui capaz de resistir las lágrimas.

La sesión le costó mucho; de hecho la mayoría de los fumadores se preguntarán por qué quería dejar de fumar en primer lugar. Con mucho gusto pagarían lo que cobré a esta señora, para poder fumar sólo dos cigarrillos al día. Cometen el error de suponer que los fumadores ocasionales son más felices y tienen más control. Puede que tengan más control, pero felices, no lo son. En este caso los padres de esa mujer murieron del cáncer de pulmón antes de que se enganchara. Igual que yo, tenía mucho miedo antes de fumar el primer cigarrillo. Al igual que yo, al final cayó víctima de las presiones masivas y probó aquel primer cigarrillo. También como yo, aún puede recordar el asqueroso sabor. A diferencia de mí, que me rendí y me hice fumador compulsivo muy rápidamente, ella resistió.

Lo único que disfrutas del cigarrillo es el acabar con la ansiedad, bien sea la ansiedad física, casi imperceptible, por la nicotina, o la tortura mental causada por no poder «quitarse los picores». Los cigarrillos mismos son suciedad y veneno. Por eso es por lo que sólo padeces la ilusión de disfrutarlos al cabo de un período de abstinencia. Igual que el hambre y la sed, cuanto más tiempo lo sufres, tanto mayor es la sensación de placer cuando las alivias. Los fumadores cometen el error de creer que el fumar no es más que un hábito. Piensan: «si puedo mantenerlo a un nivel reducido o sólo fumar en ocasiones especiales, mi cerebro y mi cuerpo acabarán por aceptarlo. Por lo tanto, puedo seguir fumando así o incluso reducirlo si quiero». Grábalo en tu mente: el hábito ni siquiera existe. El fumar es una adicción a una droga. La tendencia natural es aliviar la ansiedad y no aguantarla. Incluso para mantener tu consumo en el nivel donde estás ahora, tendrías que emplear fuerza de voluntad y disciplina para el resto de tu vida; porque, a medida que tu cuerpo se hace inmune a la droga, pide más y más, no menos y menos. A medida que

la droga empieza a destruirte no sólo física, sino mentalmente, también destruye tu sistema nervioso, tu valor y
confianza, así cada vez eres menos capaz de aumentar el
intervalo entre cada cigarrillo. Esto es por qué, al principio, podemos tomarlo o dejarlo. Si nos resfriamos, lo dejamos. También explica por qué alguien, como yo, quien
incluso ni padecía la ilusión de disfrutarlos, tenía que seguir fumando compulsivamente aun cuando cada cigarrillo producía tortura física.

No envidies a esa mujer. Cuando sólo fumas un cigarrillo cada doce horas, parece ser la cosa más valiosa
en la Tierra. Durante doce años esa pobre mujer había estado en medio de un tira y afloja. No había podido dejar de fumar. Sin embargo, tenía miedo de aumentar el
consumo en caso de contraer el cáncer de pulmón como
sus padres. Pero durante veintitrés horas y diez minutos
de cada uno de estos días tenía que luchar contra la tentación. Se necesitaba una fuerza de voluntad tremenda
para hacer lo que hacía ella, y, como he dicho, hay muy
pocos casos así. Pero al final esto le hizo llorar. Míralo desde un punto de vista lógico: o bien sí existe un apoyo o
placer auténtico en el fumar, o no existen. Si existen de
verdad, ¿quién quiere esperar una hora, un día o una semana? ¿Por qué negarte el apoyo o el placer mientras
tanto? Si no existe apoyo ni placer auténtico, ¿por qué tomar la molestia de fumar cualquier cigarrillo?

Recuerdo otro caso, el de un hombre que fumaba
cinco al día. Empezó por teléfono. Me dijo, con voz ron-
ca: «Señor Carr, lo único que quiero es dejar de fumar antes de morirme.» Me describió su vida:

«Tengo sesenta y un años. El tabaco me ha producido cáncer de garganta. Y no puedo físicamente con más
de cinco cigarrillos al día. Antes dormía bien toda la noche, pero ahora me despierto a todas horas, y sólo pienso en el tabaco. Aun mientras duermo, sueño con fumar.

»No puedo fumar antes de las diez de la mañana. Me levanto a las cinco y me hago un montón de tazas de té. Mi mujer se levanta sobre las ocho, y como siempre estoy de tan mal humor, no me deja estar en casa. Me voy a mi invernadero, e intento hacer cositas allí, pero mi mente está obsesionada por el fumar. A las nueve empiezo a liar el primer pitillo, y lo hago con mucho cuidado, hasta que lo tengo perfecto. No es que tenga que ser perfecto, pero me da algo que hacer. Espero hasta las diez. Cuando llega la hora, me tiemblan las manos incontrolablemente. No enciendo el cigarrillo en este momento, porque si lo enciendo tengo que esperar tres horas hasta el siguiente. Al final, lo enciendo, me tomo una sola calada, y lo apago inmediatamente. Haciéndolo así, consigo que el cigarrillo me dure una hora. Me lo fumo hasta el último centímetro, y luego espero el momento de poder fumar otro.»

Además de estos problemas, el hombre tenía los labios llenos de quemaduras por apurar tanto sus cigarrillos. Probablemente estás imaginándote a un pobre imbécil. No es así. Este hombre medía uno ochenta, y había sido sargento en los marines. Había sido deportista, y nunca había querido fumar. Pero, durante la Segunda Guerra Mundial, el gobierno creía que el tabaco proporcionaba valor, y suministraba cigarrillos gratis a la tropa. A este hombre prácticamente le ordenaron hacerse fumador. Se ha pasado el resto de la vida pagando un dineral, subvencionando los impuestos de los demás, y destruyéndose física y mentalmente. Si fuese un animal, nuestra sociedad lo hubiera matado para que no sufriera. ¡Y seguimos permitiendo que los jóvenes sanos, fuertes y equilibrados se enganchen!

A lo mejor crees que este caso es una exageración. En efecto, es extremo, pero no es único. Hay miles de historias parecidas. El hombre abrió su corazón y reveló todo esto; pero puedes tener la más absoluta seguridad de que muchos de sus amigos le envidiaban por sólo fumar cinco al día. Si piensas que esto no te puede ocurrir a ti:

DEJA DE ENGAÑARTE. TE ESTÁ OCURRIENDO YA

De todas formas, todos los fumadores son unos mentirosos consumados. Se mienten incluso a ellos mismos; tienen que hacerlo. La mayoría de los fumadores ocasionales fuman bastante más de lo que dicen y en más ocasiones. He tenido muchas conversaciones con los fumadores que decían fumar sólo cinco al día, y estaban fumando más de cinco cigarrillos delante de mí. Observa a los fumadores ocasionales en las reuniones sociales, en las fiestas o en las bodas. Estarán fumando sin parar, como el mejor.

No tienes que envidiar a los fumadores ocasionales. No necesitas fumar. ¡La vida es infinitamente más dulce sin tabaco!

En general, es más difícil curar a los adolescentes, no porque les sea más difícil dejarlo, sino porque, o bien creen que no están enganchados, o están en la fase primaria de la enfermedad. Suponen equivocadamente que habrán dejado de fumar de una manera automática antes de llegar a la segunda fase.

En especial quisiera advertir a los padres de esos niños que odian el tabaco que no se confíen. Todos los niños odian el sabor y el olor del tabaco hasta que se enganchan. Tú también lo odiabas. No te engañen las campañas antitabaco del gobierno. La trampa sigue siendo la misma que antes. Los niños saben que el tabaco mata, pero también saben que un cigarrillo no mata. Puede llegar un momento en que se dejen influir por la novia o el novio, algún compañero de colegio o de trabajo. Puede que creas que lo único que tienen que hacer es probar uno: les sabrá horrible, y quedarán convencidos de no engancharse. Advierte a tus hijos de todos los hechos.

Capítulo 26

El fumador secreto

Deberíamos incluir al fumador secreto entre los demás fumadores ocasionales; pero los efectos del fumar en secreto son tan nefastos que merecen un capítulo aparte. Puede llevar al colapso de relaciones personales. En mi propio caso, casi provocaron un divorcio.

Estaba en la tercera semana de uno de mis intentos fallidos de dejarlo. Lo que me había empujado a intentar dejarlo en esta ocasión era la preocupación de mi mujer ante mi continua tos y carraspeo. Le había dicho que yo no estaba preocupado por mi salud. Ella contestaba: «Ya lo sé, pero ¿cómo te sentirías tú si tuvieras que ver a alguien a quien quieres, destruirse sistemáticamente?» No pude resistir la tentativa de dejarlo ante este argumento. El propósito acabó al cabo de tres semanas, tras una discusión acalorada que tuve con un viejo amigo. No me di cuenta hasta varios años después de que mi propia mente perturbada había provocado la discusión. En el momento de la disputa me sentía realmente ofendido, pero ahora estoy seguro que no fue una simple coincidencia; no había discutido nunca con aquel amigo antes, ni he vuelto a discutir con él desde entonces. Está claro que era el «monstruito» haciendo de las suyas. De todas formas, ya tenía la excusa que buscaba. Necesitaba desesperadamente un cigarrillo, y empecé a fumar otra vez.

No podía afrontar la tremenda desilusión de mi mujer, y por eso no se lo dije. Me limitaba a fumar estando solo. Poco a poco empecé a fumar en compañía de amigos, hasta que llegó un momento en que todo el mundo sabía que fumaba menos mi mujer. Mientras duró la situación, estaba bastante satisfecho. «Al menos así fumo menos», me decía a mí mismo. Al final mi mujer me acusó de seguir fumando. Yo no me había dado cuenta, pero me describió las veces que yo había provocado una discusión, para poder salir de casa dando un portazo. En otras ocasiones había tardado un par de horas en ir a comprar cualquier tontería, y en ocasiones en las que normalmente le hubiera dicho que me acompañara, me había inventado cualquier excusa para ir solo.

Conforme va ampliándose la división social entre los fumadores y los no fumadores, crece el número de casos en que las relaciones con los amigos o con los familiares se acortan o se evitan debido a este asqueroso hierbajo. Lo peor de fumar en secreto es que refuerza la idea de privación en la mente del fumador. Al mismo tiempo, se produce una gran pérdida de respeto por uno mismo, pues siendo una persona honesta en todos los demás aspectos de su vida, se ve capaz de engañar a la familia y a los amigos.

Si te lo piensas, verás que algo de esto te habrá ocurrido alguna vez; a lo mejor te está ocurriendo ahora.

Capítulo 27

¿Un hábito social?

Más de diez millones de personas han dejado de fumar en el Reino Unido desde los años sesenta, debido a la revolución social que ahora también está ocurriendo en España.

Ya sé que los motivos principales que empujan a la gente a dejar de fumar son el dinero y la salud, pero estos motivos han existido siempre. No hace falta que nos asusten con historias de cáncer y demás para darnos cuenta de que el tabaco nos perjudica. Nuestro cuerpo es la máquina más sofisticada que existe, y todos los fumadores saben inmediatamente, desde la primera calada, que los cigarrillos son venenosos.

Nos enrollamos con el tabaco, sólo por la presión social de nuestros amigos. La única «ventaja» que tuvo el fumar era su aceptación social.

Hoy en día, hasta los propios fumadores lo consideran un hábito antisocial.

Hace años, el hombre fuerte fumaba. Si no fumabas, se te consideraba mariquita, y todos hicimos un gran esfuerzo para engancharnos. En todos los bares y salas de reunión la mayoría de los hombres inhalaban y expelían orgullosamente sus bocanadas de humo. Había una nube permanente de humo en el aire, y todos los techos que no se repintaban con frecuencia se tornaban amarillentos o marrones.

Ahora es todo lo contrario. El hombre fuerte de hoy no necesita fumar, no tiene que depender de una droga.

Con esta revolución social, todos los fumadores hoy en día piensan seriamente en dejarlo, y al que fuma se le considera una persona débil.

La tendencia más significativa que he notado, desde que escribí la primera edición de este libro en 1985, es el énfasis en el aspecto antisocial del fumar. Ya han desaparecido los días en que el cigarrillo era la señal orgullosa de la señora sofisticada o del hombre duro. Todos saben ahora que la única razón por la que la gente sigue fumando es porque no ha tenido éxito en dejarlo o que tiene demasiado miedo para intentarlo. Cada día, el fumador se ve censurado por prohibiciones en el trabajo, en lugares públicos, ataques por parte de los ex fumadores santurrones; así el comportamiento de los fumadores se hace más visible. Últimamente he observado situaciones que recuerdo haber visto siendo niño, pero que llevaba años sin ver; por ejemplo, fumadores que echan la ceniza en su mano o en sus bolsillos porque tienen demasiada vergüenza para pedir un cenicero.

Hace unos tres años, en Navidades, estaba en un restaurante. Era medianoche. Todos habían terminado la cena. Es un momento en el que pueden aparecer muchos cigarrillos y puros, pero ninguna persona fumaba. Algo presumido pensé: «¡Ah! Mi trabajo está teniendo efecto.» Dije al camarero: «¿Es este un restaurante de no fumadores ahora?» Respondió: «No.» Pensé: «Qué raro. Sé que muchas personas están dejándolo, pero tiene que haber un fumador aquí.» Al final, una persona encendió su pitillo en un rincón, y el resultado fue como una serie de farolas que se encendían a lo largo del restaurante. Todos estos otros fumadores habían estado sentados pensando: «No es posible que sea yo el único fumador aquí.»

Muchos fumadores no fuman entre platos porque se sienten incómodos. Muchos no sólo piden disculpas a las personas en la misma mesa, sino que también echan un vistazo alrededor para ver si otros tienen cara de quejarse. A medida que, cada día, más y más fumadores abandonan el barco que se hunde, los que quedan se angustian al pensar que van a ser los últimos.

NO CONSIENTAS SER TÚ.

Capítulo 28

Elegir el momento idóneo

Es evidente que, como el tabaco te está haciendo daño, el mejor momento para dejarlo es ahora mismo; pero creo que es importante elegir un momento oportuno. Nuestra sociedad considera el fumar como un hábito algo desagradable, que puede perjudicar tu salud. No es cierto. Es una drogadicción, es una enfermedad, y es la principal causa de muerte en la sociedad occidental. En la vida de un fumador lo peor que le ha ocurrido jamás ha sido engancharse con este terrible hierbajo. Si se queda enganchado, ocurren cosas horribles. Es importante elegir el momento, para darte el derecho a una cura en condiciones.

Primero piensa cuáles son los momentos en los que el cigarrillo te resulta realmente imprescindible. Si eres hombre de negocios y fumas por la ilusión de reducir el estrés, elige una temporada floja; no es mala idea elegir tus vacaciones. Si fumas principalmente durante los períodos de inactividad y aburrimiento, haz lo contrario. Hagas lo que hagas, tómatelo en serio y considéralo como la acción más importante de tu vida. Piensa en todo lo que puede ocurrir en las primeras tres semanas, y prepárate para cualquier eventualidad que pueda conducir al fracaso. Las situaciones como las fiestas de Navidad, o cualquier otro acontecimiento social no tienen por qué asustarte si te preparas de antemano, y si sabes que no te vas a sentir privado de nada. No trates de reducir el consumo mientras tanto, porque así sólo te crearás la ilusión de que disfrutas con los cigarrillos. En realidad, te ayudaría si fumaras incluso más. Mientras fumes ese último cigarrillo, fíjate bien en el olor y en el sabor desagradable, y piensa en lo maravilloso que va a ser cuando te permitas no hacerlo.

Sea como sea, no caigas en la trampa de decir: «Ahora, no, luego»; y de olvidarte de ello: fija una fecha ahora y espera este momento con ilusión. Acuérdate de que no te vas a privar de nada. Al contrario, vas a recibir unos beneficios maravillosos.

Llevo años diciendo que sé más sobre los misterios del fumar que cualquier otro en este planeta. El problema es el siguiente: aunque cada fumador fuma puramente para aliviar la ansiedad química, no es la adicción a la nicotina en sí la que engancha al fumador, sino el lavado de cerebro que resulta de la adicción. Una persona inteligente se dejará engañar por un timo. Pero sólo un imbécil seguiría dejándose engañar una vez que se da cuenta de que es un timo. Afortunadamente la mayoría de los fumadores no son imbéciles; aunque lo piensen. Cada fumador particular tiene su propio lavado de cerebro personal y privado. Esto es debido, al parecer, a la existencia de una amplia gama de diferentes tipos de fumadores, tan amplia que sólo sirve para reforzar los misterios.

Con la ventaja de cinco años de experiencia desde que publiqué la primera edición de este libro, y teniendo en cuenta que cada día aprendo algo nuevo sobre el fumar, estaba agradablemente sorprendido al darme cuenta de que la filosofía mantenida en la primera edición seguía siendo sólida. A lo largo de los años he adquirido la habilidad sobre el modo de comunicar mis conocimientos, en relación a la trampa de fumar, a cada fumador en particular. Yo sé que cada fumador no sólo podría encontrar fácil dejar de fumar, sino que también disfrutaría del proceso. Es sumamente frustrante y no tiene sentido, si yo no consigo que el fumador se dé cuenta de ello.

Muchas personas me han dicho: «Dices: sigue fumando hasta que termines el libro. Esto puede tener el efecto de que el fumador se eternice leyendo el libro o incluso que no lo termine. Por tanto, tendrías que cambiar esta instrucción.» Esto suena lógico, pero sé que si el consejo fuera «Déjalo inmediatamente», algunos fumadores ni siquiera empezarían a leerlo.

En los primeros tiempos, cuando empezaba a dar sesiones, acudió un fumador que dijo: «Verdaderamente me ofendo al tener que pedirle ayuda. Sé que soy de voluntad firme. Domino en los demás aspectos de mi vida. ¿Cómo puede ser que otros fumadores estén dejándolo con su propia fuerza de voluntad, mientras que yo tengo que visitarle a usted?» Siguió: «Creo que podría hacerlo yo solo, si pudiera fumar mientras lo dejara.»

Puede que esto suene contradictorio, pero entiendo perfectamente lo que quería decir ese hombre. Vemos el dejar de fumar como una cosa terriblemente difícil de hacer. ¿Qué es lo que necesitamos cuando tenemos algo difícil de hacer? Necesitamos nuestra pequeño apoyo. Así, de una manera rara, es un doble golpe. No sólo tenemos algo difícil que hacer, lo que ya es bastante duro, sino que estamos sin nuestra ayuda.

No se me ocurrió hasta mucho después de irse el hombre que la instrucción de seguir fumando es lo más bello de mi método. Puedes seguir fumando mientras lo estás dejando. Primero te deshaces de todas tus dudas y temores y cuando apagas aquel último cigarrillo ya eres no fumador y disfrutas de serlo.

El único capítulo en el que he cuestionado mi consejo original es este capítulo en el asunto del momento idóneo. He comunicado que si las ocasiones cuando te fumas tus cigarrillos especiales coinciden con situaciones de estrés en el trabajo, elijas unas vacaciones para dejarlo y viceversa. En realidad, esta no es la manera más fácil de hacerlo. La manera más fácil es buscar un momento difícil, sea una situación de estrés, o social, de concentración o de aburrimiento. Una vez compruebes que puedes hacerles frente y en la peor situación disfrutar de la vida, todas las demás situaciones serán fáciles. Pero si diera esta instrucción como algo definitivo, ¿te propondrías dejarlo?

Déjame emplear una analogía. Mi mujer y yo tenemos la intención de ir a nadar juntos. Llegamos a la piscina al mismo tiempo, pero rara vez nadamos juntos. La razón es que ella sumerge un dedo del pie y media hora más tarde está nadando. Yo no aguanto semejante tortura lenta. Sé de antemano que en algún momento, por muy fría que esté el agua, al final voy a necesitar valor para meterme. Por tanto, he aprendido a hacerlo de la manera más sencilla: me tiro de cabeza en el mismo momento. Ahora, vamos a suponer que insistiera en que si no se tiraba mi mujer de cabeza, no podría nadar nunca, sé que no nadaría nunca. Ves el problema.

Por experiencia sé que muchos fumadores han seguido el consejo original que di en su momento en cuanto a atrasar lo que ellos piensan que será el día terrible. Mi pensamiento siguiente era emplear la misma técnica que en el capítulo dedicado a las ventajas del fumar, algo así como: «Decidir el momento idóneo es muy importante. Y en el próximo capítulo te aconsejaré sobre el mejor momento para dejarlo.» Vuelves la hoja y ves un enorme: AHORA. Esto es, en realidad, el mejor consejo, pero ¿lo seguirías?

Este es el aspecto más sutil de la trampa del fumar. Cuando tenemos una situación de auténtico estrés, no es un buen momento para dejarlo, y si no tenemos estrés en nuestra vida no tenemos ningún deseo de dejarlo.

Hazte las siguientes preguntas:

Cuando fumaste aquel primer cigarrillo, ¿verdaderamente decidiste seguir fumando el resto de tu vida, todo el día, todos los días, sin poder dejarlo nunca?

POR SUPUESTO QUE NO.

¿Vas a seguir fumando el resto de tu vida, todo el día, todos los días sin poder dejarlo nunca?

POR SUPUESTO QUE NO.

Entonces, ¿cuándo lo dejarás?, ¿mañana?, ¿el año que viene?, ¿un año después?

¿No es esto lo que has estado preguntándote desde que te diste cuenta por primera vez de que estabas enganchado? ¿Esperas que una mañana te despertarás sin más ganas de fumar? Deja de engañarte. Yo he esperado que eso me ocurriera a mí durante treinta y tres años. Con la adicción a una droga te enganchas progresivamente más, no menos. ¿Piensas que va a ser más fácil mañana? Te estás engañando a ti mismo. Si no puedes hacerlo hoy, ¿qué te hace creer que va a ser más fácil mañana? ¿Vas a esperar hasta que hayas contraído una de las enfermedades mortales? Eso no tiene sentido.

La verdadera trampa es la creencia de que ahora no es el momento idóneo. Siempre será más fácil mañana.

Creemos que nuestra vida está llena de estrés. En realidad no es así. Nos hemos desecho de la mayor parte de auténtico estrés en nuestra vida. Cuando sales de tu casa no tienes que vivir con el miedo de que te van a atracar bestias salvajes. La mayoría de nosotros no tenemos que preocuparnos de la comida, ni si tendremos un techo esta noche. Pero piensa en la vida de un animal salvaje. Cada vez que un conejo sale de su conejera tiene que hacer frente a «Vietnam» toda su vida. Pero el conejo puede hacerle frente: tiene adrenalina y otras hormonas; y nosotros las tenemos también. La verdad es que los períodos de más estrés en la vida de cualquier criatura son la niñez y la adolescencia. Pero tres billones de años de selección natural nos han preparado para poder hacer frente al estrés. Tenía cinco años cuando empezó la guerra. Las bombas destruyeron nuestra casa y fui separado de mis padres durante dos años. Me tocó vivir con personas que me trataban cruelmente. Fue un período desagradable en mi vida, pero pude hacerle frente. No creo que me haya dejado cicatrices permanentes; al contrario, creo que soy una persona más fuerte gracias a esa experiencia. Mirando atrás, sólo ha habido una cosa a la que no he podido hacer frente: mi esclavitud a este maldito hierbajo.

Hace unos años pensaba que tenía todas las preocupaciones del mundo teniendo tendencias suicidas, no en el sentido de tirarme de un tejado, sino en el sentido de saber que pronto el fumar me mataría. Discutía conmigo mismo que si así era la vida con mi «ayuda», no valdría la pena vivir mi vida sin él. Lo que no me di cuenta fue que cuando estás hundido física y mentalmente todo te deprime. Ahora me siento joven otra vez. Sólo una cosa causó el cambio en mi vida: el no encontrarme en este abismo del fumar.

Ya sé que es típico decir: «Si no tienes salud, no tienes nada»; pero es la absoluta verdad. Solía pensar que los aficionados a estar en óptima forma física eran pesados. Yo pretendía que hay más en la vida que sentirse en forma; hay copas y tabaco. ¡Bobadas! Cuando te sientes fuerte física y mentalmente disfrutas de los momentos buenos y puedes hacer frente a los momentos bajos. Confundimos la responsabilidad con el estrés. La responsabilidad se llena de estrés, sólo cuando no te sientes lo suficientemente fuerte para hacerle frente. Las personas como Richard Burton son fuertes física y mentalmente. Lo que les destruye no son las tensiones de la vida, ni su trabajo, ni la edad, sino las llamadas ayudas de que dependen; no son más que ilusiones. Es triste que en su caso y en los de millones de otros, los apoyos maten.

Míralo de la siguiente manera. Ya has decidido que no vas a permanecer en la trampa para el resto de tu vida. Por tanto, en algún momento de tu vida, lo encuentres fácil o difícil, tendrás que pasar por el proceso de liberarte. El fumar no es ni hábito ni placer. Es drogadicción y una enfermedad. Ya hemos demostrado que lejos de ser más fácil dejarlo mañana, se hará progresivamente más difícil, como una enfermedad en la que vas empeorando progresivamente; el momento para deshacerse de ella es AHORA, o cuanto antes. Piensa en lo rápido que pasa cada semana de nuestra vida. No hace falta más. Reflexiona sobre lo bueno que será disfrutar del resto de tu vida sin que te amenacen aquellas sombras negras cada vez más grandes. Y si sigues todas mis instrucciones, ni siquiera tendrás que esperar cinco días. No sólo lo encontrarás fácil después de apagar el último cigarrillo, sino que también DISFRUTARÁS DEL PROCESO.

Capítulo 29

¿Echaré de menos los cigarrillos?

¡No! Una vez que haya muerto el «monstruito» y que tu cuerpo haya dejado de pedir sus dosis de nicotina, el lavado de cerebro desaparecerá y te encontrarás mejor preparado, no sólo física, sino también mentalmente, afrontando los problemas de la vida, y también disfrutando plenamente de los momentos de alegría.

Sólo hay un peligro: la influencia de los que siguen fumando. La idea de que «lo ajeno siempre es mejor» es frecuente en muchos aspectos de nuestra vida, y es fácilmente comprensible. En el caso del fumar, donde las desventajas son tan grandes comparado con las ventajas (incluso estas no son más que ilusiones), ¿por qué los ex fumadores tienden a envidiar a los fumadores?

Después de todo el lavado de cerebro que empezó durante nuestra infancia, es comprensible que caigamos en la trampa desde el principio. Cuando nos damos cuenta de que estamos haciendo el primo, y aun cuando muchos conseguimos quitarnos el hábito, ¿por qué volvemos a caer directamente en la misma trampa? Por la influencia de los fumadores.

Suele ocurrir en las situaciones sociales, especialmente después de una comida. El fumador enciende su pitillo y el ex fumador siente la necesidad de hacer lo mismo. Es una anomalía muy curiosa, sobre todo si consideras los resultados del siguiente estudio de mercado; además de que todos los ex fumadores se sienten satisfechos de haberlo dejado, todos los fumadores, a pesar de que en sus retorcidos, drogodependientes y bien lavados cerebros están convencidos de que les gusta, desearían no haberse enganchado nunca. ¿Por qué entonces ocurre a veces que el ex fumador envidia al fumador?

Hay dos motivos:

1. La idea de «un solo cigarrillo». Acuérdate, no existe tal cosa. Deja de ver sólo ese momento aislado y míralo desde el punto de vista del fumador. Puede que tú le envidies a él, pero la realidad es que, en secreto o abiertamente, él te está envidiando a ti. Empieza a observar a los demás fumadores. Son ellos en realidad los que más te pueden ayudar a no volver. Fíjate en la rapidez con que se quema el cigarrillo, en lo poco que tarda el fumador en encender otro. Verás no sólo que el fumador fuma sin darse cuenta de ello, sino también que hasta el acto de encender parece automático. Recuerda que no disfruta, ocurre que no puede disfrutar de nada sin fumar. No olvides sobre todo que cuando se vaya, va a tener que seguir fumando. A la mañana siguiente, cuando se despierte con el pecho como una pocilga, va a tener que seguir asfixiándose. Tendrá que fumar la próxima vez que suba el precio del tabaco, la próxima vez que note un dolor en el pecho, el próximo Día Nacional Anti-tabaco, la próxima vez que vea sin querer la advertencia impresa en el paquete, la próxima vez que se hable del cáncer. Sufrirá la próxima vez que vaya a la iglesia, al hospital, a la biblioteca, al dentista, al médico, al supermercado, y la próxima vez que viaje en Metro. Viviendo entre no fumadores, tendrá que seguir pagando un dineral por tener el privilegio de poder destruirse física y mentalmente. Toda una vida de suciedad, de mal aliento, dientes manchados; toda una vida de esclavitud, de destrozarse, de sombras negras en el fondo de la mente. Todo eso, ¿para conseguir qué? Para intentar conseguir la ilusión de volver al estado en el que se encontraba antes de engancharse.

2. El segundo motivo por el que algunos ex fumadores sienten la necesidad de fumar en estas ocasiones es porque el fumador está haciendo algo (fumando); y el no fumador no hace nada; por tanto, tiende a sentirse privado de algo. Métetelo en la cabeza de una vez: no es al no fumador a quien se le priva, sino el fumador quien se priva de:

> SALUD
> VITALIDAD
> DINERO
> CONFIANZA EN SÍ MISMO
> PAZ MENTAL
> VALOR
> TRANQUILIDAD
> LIBERTAD
> RESPETO A SÍ MISMO

Quítate el hábito de envidiar a los fumadores, y empieza a verlos como lo que realmente son: pobres seres patéticos. Yo fui uno de los peores. Por eso estás leyendo este libro. Son precisamente los que no pueden enfrentarse al problema, los que tienen que seguir engañándose, siendo los más patéticos de todos.

No envidiarías a un heroinómano, y no tienes por qué envidiar al pobre adicto a la nicotina. La heroína mata a menos de dos mil personas al año en España. La nicotina mata a más de sesenta mil personas al año en España y alrededor de cinco millones en el mundo entero. Ya ha matado a más personas en este planeta que en todas las guerras de la historia. Igual que toda drogadicción, la tuya no se mejorará. Cada año empeorará más y más. Si no disfrutas de ser fumador hoy, menos lo disfrutarás mañana. No envidies a los fumadores. Ten lástima de ellos. Créeme: NECESITAN TU COMPASIÓN.

Capítulo 30

¿Engordaré?

Este es otro mito falso relacionado con el fumar, propagado por los fumadores que intentan dejar de fumar con el Método de la Fuerza de Voluntad, que utilizan sustitutos como la comida, los dulces, los caramelos, etc., para ayudar a aliviar la ansiedad.

La ansiedad por la retirada de la nicotina es muy parecida a la sensación de hambre, y es fácil confundirla. Sin embargo, mientras es fácil remediar el hambre con comida, la ansiedad por la nicotina nunca se puede satisfacer del todo.

Como ocurre con todas las drogas, llega un momento en que el cuerpo se ha acostumbrado tanto, que el cigarrillo ya no satisface plenamente la ansiedad por la nicotina. En cuanto apagamos el cigarrillo, la nicotina rápidamente empieza a salir del cuerpo, de manera que el adicto a la nicotina siente como un hambre permanente. La tendencia natural es fumar compulsivamente. Sin embargo, la mayoría de los fumadores no pueden hacer esto, por una de estas dos razones:

1. Dinero: No pueden permitirse aumentar su consumo.
2. Salud: Para quitarnos el *mono* tenemos que tomar un veneno. Esto funciona como un freno automático, impidiendo que fumemos más de lo que el cuerpo puede aguantar.

Entonces, el pobre fumador se queda con una especie de hambre permanente que nunca puede satisfacer. Eso explica por qué muchos fumadores tienden a comer y a beber en exceso, o incluso prueban otras drogas más duras, para llenar el vacío que sienten. (LA MAYORÍA

DE LOS ALCOHÓLICOS SON GRANDES FUMA-
DORES. ME PREGUNTO SI PUEDE QUE EN REALI-
DAD SEA UN PROBLEMA DE TABACO, NO DE AL-
COHOL.)

Lo que suele hacer el fumador es tomar nicotina en lugar de alimentos. En mis peores tiempos llegué a eliminar el desayuno y la comida. Fumaba sin parar todo el día. Deseaba llegar a casa por la tarde, para poder estar un rato sin fumar. Me pasaba todas las tardes picando cosas, comiendo esto y lo otro. Creía que era hambre, pero era el *mono*. O sea, que durante el día tomaba nicotina en lugar de alimentos, y por la tarde alimentos en lugar de nicotina.

En aquellos tiempos pesaba catorce kilos más que ahora, y no podía quitármelos.

En el momento en que el «monstruito» sale de tu cuerpo, se acaba esa sensación de inseguridad. Vuelve la confianza en ti mismo, junto con una sensación maravillosa de respeto hacia ti mismo. Te encuentras capaz de dirigir tú mismo tu vida; no sólo en tus hábitos alimenticios, sino también en otras muchas cosas. Esto es una de las grandes ventajas de haberse liberado del hierbajo.

Como ya he dicho, el mito del aumento de peso se debe al uso de sustitutos durante el período de retirada de la nicotina. Estos sustitutos no lo hacen más fácil, sino más difícil. Veremos por qué en otro capítulo.

Capítulo 31

Evita los incentivos falsos

Muchos fumadores, al dejar de fumar por el Método de la Fuerza de Voluntad, intentan hacerlo más fácil con incentivos falsos.

Hay muchos ejemplos. Uno típico: «Con lo que ahorre podemos irnos de vacaciones toda la familia.» Esto parece ser una actitud lógica y sensata, pero es totalmente falsa; porque la mayoría de los fumadores saben perfectamente que preferirían mil veces fumar durante las 52 semanas del año y no irse de vacaciones. Y siempre habrá una duda, porque no sólo tendrá que estar todo un año sin fumar, sino que no sabe si podrá disfrutar de esas vacaciones sin su tabaco. Lo único que se consigue es aumentar la sensación de sacrificio, y por tanto, hacer que el tabaco tenga más valor todavía en la mente del fumador. Lo que hay que hacer es mirar el otro lado del asunto: «¿En qué me beneficia el tabaco? ¿Por qué necesito fumar?» Otro ejemplo es: «Me podré comprar un coche mejor.» Puede que sea cierto, y a lo mejor consigues dejar el tabaco hasta que te compres el coche, pero una vez que el coche haya dejado de ser una novedad, te sentirás privado y volverás a caer en la trampa.

Otra cosa muy corriente es el pacto entre miembros de la familia o entre compañeros de trabajo. La ventaja de estos pactos es que efectivamente eliminan la tentación durante parte del día. Pero no suelen funcionar por varios motivos:

1. El incentivo es falso. El hecho de que otros dejen de fumar no quiere decir que puedas dejarlo tú. Lo único que se consigue es aumentar la presión social y la sensación de sacrificio. Funcionan bien solamente cuando todos los fumadores involu-

crados quieren dejar de fumar realmente en ese momento. No se puede obligar a la gente, y aunque todos los fumadores, en el fondo, querrían dejarlo, si no están preparados, el pacto sólo les produce más ganas de fumar. En algunos casos les convierte en fumadores secretos, lo cual aumenta aún más su dependencia.

2. La teoría de la manzana podrida, o la interdependencia entre los miembros del pacto. Con el Método de la Fuerza de Voluntad el fumador pasa por un período de sufrimiento, esperando que desaparezcan las ganas de fumar. Si se rinde, tiene la sensación de haber fracasado. Con el Método de la Fuerza de Voluntad es inevitable que antes o después uno de los miembros del pacto se rinda, dándoles a los demás la excusa que han estado buscando. No es culpa suya, ellos hubieran aguantado...; «pero Pepe les ha fallado». En muchos casos la verdad es que muchos de ellos llevaban tiempo haciendo trampa antes de que fallase Pepe.

3. Compartir la gloria es la teoría contraria a la de la manzana podrida. No se siente tanta vergüenza cuando falla un pacto, porque es una vergüenza compartida. Cuando dejas de fumar hay una sensación de haber conseguido algo realmente importante, y la atención que recibes de tus amigos y familiares puede ayudar mucho durante los primeros días. Cuando hay muchas personas que lo hacen al mismo tiempo, es gloria compartida y ayuda mucho menos.

Otro ejemplo más del incentivo falso es el soborno. Por ejemplo: el padre que ofrece dinero a su hijo adolescente si deja de fumar, o las apuestas: «Si no lo consigo, te pago diez mil pesetas.» En un programa de televisión hace poco vi un ejemplo. Un policía que intentaba dejar de fumar metió en un paquete de tabaco un billete de cinco mil. Se había prometido a sí mismo: podía volver a fumar cuando quisiera, pero primero tenía que quemar el billete. Aguantó unos días, pero al final el billete ardió.

No te engañes; si no son suficientes motivos los cinco millones de pesetas que se gasta a lo largo de su vida el fumador medio, una posibilidad entre tres de tener una enfermedad horrenda, el mal aliento, la tortura física y mental, la esclavitud, el desprecio de la mitad de la población y el desprecio que sientes por ti mismo, entonces, unos incentivos artificiales en el último momento no van a cambiar nada. Sólo te lo harán más difícil. Mira siempre el otro lado del tira y afloja.

¿Qué beneficio me proporciona? NINGUNO.

¿Por qué tengo que seguir fumando? NO TIENES QUE SEGUIR. SÓLO ESTÁS CASTIGÁNDOTE.

Capítulo 32

Es fácil dejarlo,
si sabes cómo

Este capítulo contiene las instrucciones para que puedas dejar de fumar con facilidad. A condición de que sigas las instrucciones, verás cómo puede ser, desde relativamente fácil, hasta todo un placer. Pero recuerda que los malos cocineros son los que no leen bien las recetas.

Es absurdamente fácil dejar de fumar. Sólo tienes que hacer dos cosas:

1. Toma la decisión de que nunca más vas a fumar.
2. No te deprimas, alégrate.

Entonces preguntarás: ¿Si eso es todo, para qué está el resto del libro? ¿Por qué no podías haber dicho eso al principio? Simplemente, porque antes o después te hubieras deprimido y, en consecuencia, hubieras abandonado tu decisión. Lo más probable es que ya lo hayas hecho varias veces.

Ya hemos visto que el fumar es una trampa sutil y siniestra. El problema principal al dejarlo no es la adicción en sí, sino el lavado de cerebro, y primero hemos tenido que eliminar todos los conceptos falsos y las ideas ilusorias. Hay que conocer al enemigo y saber cómo actúa: entonces será fácil vencerlo.

He estado la mayor parte de mi vida intentando dejar de fumar, pasando semanas enteras de oscura depresión. Cuando al final lo dejé, pasé de cien pitillos diarios a CERO, y no me sucedió nada. Incluso disfruté durante el período del *mono*, y nunca he vuelto a tener ganas de fumar. Es, sin duda alguna, lo mejor que me ha ocurrido en toda mi vida.

No entendía por qué había sido tan fácil, y tardé mucho tiempo en comprenderlo. Sabía con toda certeza que nunca más iba a fumar. En mis intentos anteriores, por muy decidido que me creyera, estaba «intentando» dejar de fumar, esperando que si podía sobrevivir por un período suficientemente largo, entonces el deseo desaparecería. Por supuesto, no se acabaron las ganas de fumar porque estaba esperando a que ocurriera, y me deprimía. Cuanto más lo añoraba, más necesitaba fumar, y era un círculo vicioso. Mi último intento era diferente. Como todos los fumadores hoy en día, había considerado mucho el asunto. Hasta entonces, cada vez que fracasaba me consolaba pensando que la próxima vez sería más fácil. Nunca se me ocurrió pensar que tendría que seguir fumando para el resto de mi vida. Este último pensamiento me horrorizó tanto, que empecé a reflexionarlo profundamente.

En lugar de encender cada cigarrillo de una manera automática, empecé a analizar lo que sentía mientras fumaba. Esto confirmó lo que ya sabía: no me gustaban los cigarrillos, y además eran sucios y repulsivos.

Empecé a observar a los no fumadores. Hasta entonces los había considerado personas con poca personalidad, antipáticas, excesivamente cuidadosas. Pero cuando se les examinaba de cerca, resultaron ser más fuertes, más relajadas. Parecían tener más capacidad para afrontar los problemas y las tensiones de la vida, y disfrutar más que los fumadores en los acontecimientos sociales. Desde luego tenían más vitalidad, más chispa.

Empecé a hablar con los ex fumadores. Hasta entonces habían sido para mí personas que habían dejado de fumar por razones económicas o de salud, y que en secreto siempre se consumían por un cigarrillo. Unos cuantos, efectivamente, decían: «Sí, de vez en cuando te apetece uno, pero el momento pasa rápidamente, y no es para preocuparse.» Pero la mayoría decía: «¿Echarlo de menos? En absoluto. En mi vida me he encontrado mejor.»

Hablar con los ex fumadores también me quitó otro concepto falso. Creía tener en mí alguna debilidad especial, pero de repente vi que todos los fumadores tienen la misma pesadilla. En resumidas cuentas, me dije: «Ahora hay millones de personas que dejan de fumar, y viven felices. Yo no necesitaba el tabaco antes de empezar a fumar, y recuerdo todavía lo que me costó acostumbrarme a este hábito tan repulsivo, entonces, ¿por qué tengo que seguir fumando?» De todas formas no sacaba ningún placer de ello, odiaba todo su sucio ritual y no quería ser esclavo de ese hierbajo durante el resto de mis días.

Entonces me dije: «Allen, TE GUSTE O NO, ACABAS DE FUMAR TU ÚLTIMO CIGARRILLO.»

Desde ese momento sabía que no volvería nunca a fumar. No esperaba que fuese fácil, sino todo lo contrario. Estaba convencido de que me esperaban meses de profunda depresión, y de que durante toda mi vida sentiría las ganas de fumar de vez en cuando. Pero nada de eso: desde el primer momento, ha sido maravilloso.

Tardé mucho en comprender por qué había sido tan fácil y por qué en esta ocasión no había padecido tanto el temible *mono*. La realidad es que el *mono* no es de temer. Son las dudas y la incertidumbre las que causan el sufrimiento. La tremenda verdad es que ES FÁCIL DEJAR DE FUMAR. Sólo es la indecisión y el añorar una ilusión lo que lo hacen difícil. Aun estando enganchados con la nicotina, los fumadores pueden estar horas y horas sin fumar en ciertas situaciones, y no les pasa nada. Solamente sufres cuando quieres fumar y no te dejan.

Entonces, la clave está en tomar una decisión definitiva y final, sin apelación. No hay que *esperar* haberlo quitado, sino *saber* que eres libre. No dudes nunca de tu decisión, ni la cuestiones, sino al contrario: alégrate siempre de haberla tomado.

Si tu decisión es definitiva, será fácil desde el principio. ¿Pero cómo puedes tomar esta decisión definitiva si no sabes si va a ser fácil o no? Por esto es importante leer el resto del libro: Hay ciertos puntos fundamentales y es necesario fijarlos claramente en tu mente antes de dejarlo.

1. Date cuenta de que tú, sí lo puedes lograr. No eres diferente de los demás, y la única persona que te puede obligar a fumar otro cigarrillo eres tú.

2. No hay nada en absoluto que sacrificar. Al contrario, vas a obtener unos beneficios enormes. No sólo quiero decir que tendrás más dinero y mejor salud, sino que disfrutarás más de los buenos momentos y sufrirás menos en los malos.

3. Grábate que no existe eso de «un solo cigarrillo». Fumar es drogadicción, y una reacción en cadena. Si añoras un cigarrillo de vez en cuando, sólo te estarás castigando para nada.

4. Mira todo lo relacionado con el fumar no como un hábito social que puede o no dañarte, sino como lo que es: drogadicción. Enfréntate al hecho, lo quieras o no, TIENES ESA ENFERMEDAD. No desaparecerá porque escondas la cabeza. Acuérdate, cómo todas las enfermedades que incapacitan, no sólo dura toda la vida, sino que empeora día a día. El mejor momento para atajarla es *ahora mismo*.

5. Distingue entre la enfermedad (es decir, la adicción química), y el estado mental de ser fumador o no fumador. Si tuvieran esa oportunidad, todos los fumadores la aprovecharían en seguida, para poder volver a la época de antes de que se engancharan. Tú tienes esa oportunidad *hoy*. Ni siquiera lo consideres como «renunciar a fumar». Una vez que has tomado la decisión definitiva, y que has fumado tu último cigarrillo, ya serás no fumador. Un fumador es una persona que va por la vida destruyéndose con el tabaco. Un no fumador es una persona que no hace eso. Una vez hayas tomado

esa decisión definitiva, ya has logrado tu meta. Alégrate. No te quedes añorando melancólicamente un cigarrillo, esperando a que desaparezca la adicción química. Sal y disfruta de la vida inmediatamente. La vida es maravillosa, incluso mientras eres adicto a la nicotina, y será cada día mejor cuando no lo seas.

Lo fundamental para que te resulte fácil dejar de fumar es convencerte a ti mismo sin la menor duda de que serás capaz de abstenerte totalmente durante el período de retirada de la nicotina (máximo tres semanas); y si tienes la actitud mental correcta, lo encontrarás absurdamente fácil.

En este momento, si has leído con la mente abierta, como te aconsejé al principio, ya habrás decidido dejar de fumar. Deberías sentir ahora una especie de excitación, como un perro que tira de la cadena. Estarás deseando eliminar el veneno de tu cuerpo.

Si todavía sientes miedo, y lo ves todo negro, es por uno de estos tres factores:

1. Hay algo que todavía no ha cuajado en tu mente. Léete otra vez los cinco puntos anteriores y pregúntate si los aceptas como verdades. Si tienes alguna duda, vuelve a leer el capítulo correspondiente.

2. Lo que temes es el fracaso. No te preocupes, sigue leyendo. Lo conseguirás. Todo lo relacionado con el fumar es un timo de enormes dimensiones. Hasta las personas más inteligentes pueden ser víctimas de un timo, pero sólo un imbécil que ha descubierto el truco, seguirá engañándose a sí mismo.

3. Estás de acuerdo en todo, pero sigues deprimido. ¡No te deprimas. No tiene sentido! Abre bien los ojos; te está ocurriendo algo fantástico, estás a punto de salir de la cárcel.

Es imprescindible empezar con la actitud mental correcta. Hay que pensar: ¿No es maravilloso? ¡Soy un no fumador!

Lo único que tenemos que hacer ahora es mantener esa actitud mental durante el período transicional. En los próximos capítulos trataremos algunos puntos específicos para mantener tu estado de ánimo durante ese período. Al final del período transicional pensarás así de modo automático. Y el único misterio en tu vida será: «Es tan obvio, ¿por qué no podía verlo antes?» Sin embargo, dos advertencias importantes:

1. No apagues tu último cigarrillo hasta que hayas terminado el libro.

2. Ya he dicho varias veces que el período de retirada de la droga es de unas tres semanas. Esto puede causar algún que otro malentendido. En primer lugar, puedes pensar a nivel subconsciente que vas a tener que sufrir durante tres semanas. No es así. En segundo lugar, evita la trampa de decirte: «Sólo tengo que abstenerme de fumar durante tres semanas, y seré libre.» No va a ocurrir nada al cabo de las tres semanas. No vas a tener la sensación repentina de ser no fumador. Los no fumadores no se sienten diferentes de los fumadores. Si te dejas deprimir durante esas tres semanas, lo más probable es que sigas deprimiéndote después. Lo que quiero decir es que si te dices desde un principio: «Qué bien, ya no voy a fumar nunca más», después de las tres semanas, toda tentación desaparecerá. Mientras que si te dices: «Si logro sobrevivir tres semanas sin fumar», darás tu vida por un cigarrillo al cumplir las tres semanas. (El juego de palabras no es intencionado.)

Capítulo 33

El período de la retirada de la nicotina

Durante las tres semanas siguientes al momento de apagar tu último cigarrillo, puede que tengas una ansiedad por la retirada de la nicotina. Esta ansiedad se debe a dos factores completamente distintos:

1. La ansiedad física por la retirada de la nicotina, esa sensación de vacío y de inseguridad parecida al hambre, la que muchos fumadores identifican como el *mono*, esa sensación de no saber qué hacer con las manos.
2. Los dispositivos psicológicos que disparan una ansiedad en determinados momentos; por ejemplo, cuando suena el teléfono.

Si muchos fumadores encuentran grandes dificultades al dejar de fumar, se debe a la incapacidad de comprender y de distinguir entre estos dos factores mientras emplean el Método de la Fuerza de Voluntad; es también eso lo que hace que muchos que consiguieron dejarlo, vuelvan a caer otra vez en la misma trampa.

Aunque el *mono* de la nicotina no produce ningún dolor físico, no hay que subestimar su poder. Hablamos de «dolores del hambre», pero, si estamos todo un día sin comer nada, puede que el estómago empiece a hacer ruido, pero no hay ningún dolor. Aun así, el hambre es una fuerza tremenda, y podemos volvernos muy irritables si se nos priva de la comida. Esto es parecido a lo que ocurre cuando se nos priva de la nicotina. La diferencia está en que el cuerpo necesita comer para sobrevivir, pero no necesita el veneno. Teniendo la actitud mental correcta, las molestias de la retirada se vencen con bastante facilidad y desaparecen rápidamente.

Si los fumadores que emplean el Método de la Fuerza de Voluntad logran abstenerse de fumar durante unos días, la ansiedad física por la nicotina desaparece. Es el segundo factor el que causa dificultades. El fumador se ha creado el hábito de aliviar el *mono* en ciertos momentos u ocasiones, creando con ello una asociación de ideas: «No puedo tomarme una copa a gusto sin un cigarrillo.» Quizás sea más fácil comprender el efecto a través de un ejemplo:

Tienes un coche durante varios años, y la palanquita de los intermitentes está a la izquierda del volante. Te compras un coche nuevo, que tiene la palanquita a la derecha, Dios sabe por qué. Sabes que está a la derecha, pero durante un par de semanas pones en marcha el limpiaparabrisas cada vez que haces un giro.

Dejar de fumar es parecido. Durante los primeros días funciona el dispositivo psicológico en ciertos momentos. Pensarás: «Me apetece un cigarrillo.» Hay que combatir el lavado de cerebro desde el primer momento, para que el dispositivo automático deje de funcionar. Con el Método de la Fuerza de Voluntad, ya que el fumador cree que está haciendo un sacrificio, añora melancólicamente el fumar, y espera que desaparezcan estas ganas. Lejos de eliminar estos dispositivos psicológicos, hace que aumenten su número.

Por ejemplo, una comida, sobre todo si estás con un grupo de amigos en un restaurante. El ex fumador ya se siente deprimido porque se le ha quitado el tabaco. Sus amigos encienden sus cigarrillos, y se siente más privado todavía. Ahora ya no disfruta ni de la comida, ni de lo que suele ser una ocasión social agradable. Debido a la asociación de ideas entre el cigarrillo, la comida y la compañía, recibe un triple golpe, y el lavado de cerebro aumenta. Si es una persona decidida y logra aguantarse, termina aceptando su suerte y se dedica a vivir. Pero parte del lavado de cerebro ha quedado, y lo más triste de todo es el caso del fumador que dejando de fumar durante varios años por motivos de salud o de dinero, todavía añore un cigarrillo en ciertas ocasiones. En realidad, está añorando una ilusión que sólo existe en su mente, y se está torturando para nada.

Incluso con mi propio método, es la razón más común para el fracaso. El ex fumador tiende a ver en el cigarrillo una especie de placebo. Piensa:

«Ya sé que el tabaco no hace nada por mí, pero si yo creo que hace algo, a veces me ayudará.»

Un placebo, aunque no proporciona ninguna ayuda real, puede ser psicológicamente efectivo para aliviar unos síntomas genuinos, y por tanto puede ser beneficioso. Pero el tabaco no es un placebo; crea los síntomas que luego alivia, y con el tiempo deja, al menos en parte, de aliviarlos por completo. Es un placebo que causa enfermedad, y a parte de esto, es la primera causa de muerte en la sociedad occidental.

Tal vez te resulte más fácil comprender el efecto si lo relacionamos con los no fumadores o con un fumador que lo dejó hace unos cuantos años. Tomemos como ejemplo el caso de una mujer que acaba de perder a su marido. En tales ocasiones, es frecuente que el fumador, con la mejor intención del mundo, diga:

«Toma un cigarrillo, te ayudará a tranquilizarte.»

Si la mujer acepta el cigarrillo, no tendrá ningún efecto tranquilizador porque ella no tiene ninguna adicción a la nicotina, y no tiene ninguna ansiedad que haga falta aliviar. Lo mejor que puede hacer es proporcionarle un estímulo psicológico momentáneo. Sin embargo, cuando apaga ese cigarrillo la tragedia original sigue presente. En realidad está peor porque ahora está sufriendo la ansiedad por la retirada de la nicotina también. Ahora tiene que elegir entre aguantar la ansiedad, o aliviarla fumando otro cigarrillo, poniendo en marcha toda la cadena de miseria. Lo único que habrá hecho el cigarrillo es darle un estímulo psicológico momentáneo. Se podía haber conseguido el mismo efecto con unas palabras de consuelo o con una bebida. Muchos no fumadores y ex fumadores se enganchan con el hierbajo en tales ocasiones.

Es imprescindible contrarrestar el lavado de cerebro desde el primer momento. Tienes que meterte en la cabeza que no necesitas los cigarrillos, y que no haces más que torturarte si sigues creyendo que te proporcionan algún tipo de ayuda psicológica. No hace falta que te deprimas. Los cigarrillos no mejoran las comidas ni los acontecimientos sociales, los estropean. Recuerda también que los fumadores que fuman en una comida no lo hacen porque disfruten del cigarrillo, sino porque *tienen que hacerlo*. ¡Son drogadictos! No pueden disfrutar de la comida, ni de la vida sin el tabaco.

Deja de pensar que disfrutas fumando. Muchos fumadores piensan: «Si hubiera un cigarrillo "limpio".» Los hay —los de hierbas—, y cualquier fumador que los haya probado sabe que no sirven para nada. La única razón por la cual fumamos es para conseguir nuestras dosis de nicotina. Una vez que la ansiedad por la nicotina ha desaparecido, sientes la misma necesidad de meterte un cigarrillo en la boca que ahora de metértelo en la oreja.

Que la ansiedad que sientes se deba a la retirada de la nicotina en sí (esa sensación de vacío) o al mecanismo disparador, acéptala. No hay ningún dolor físico, y con la actitud mental correcta, no tendrás ningún problema. No te preocupes por la retirada de la nicotina. La sensación en sí no es tan mala; es sólo cuando asocias esa sensación con el pensamiento «me apetece un cigarrillo, pero no puedo», sintiéndote privado, cuando vuelve el problema.

En lugar de deprimirte, piensa: «Sé lo que es, es mi cuerpo ansiando la nicotina.» Lo padecen los fumadores durante toda su vida, y es lo que les hace seguir fumando. Los no fumadores no padecen esa ansiedad. Es uno de los muchos males de esta droga asquerosa. Piensa: «¡No es maravilloso estar eliminando ese veneno de mi cuerpo!»

En otras palabras: durante las próximas tres semanas sentirás unas molestias mínimas, provocadas por el proceso de desintoxicación de la nicotina; pero durante ese tiempo, y durante el resto de tu vida, ocurrirá algo maravilloso: estarás deshaciéndote de una terrible enfermedad. Piensa en estos beneficios. Así vencerás estas molestias, e incluso podrás llegar a disfrutar de esa sensación, convirtiéndola en momentos de placer.

Considera todo el proceso como un juego apasionante. Imagina el «monstruo» de la nicotina como si fuera una tenia que tienes dentro de tu cuerpo. Tienes que privarle de su comida durante tres semanas para que muera, y él va a usar mil trucos para que enciendas un cigarrillo y asegurarse su supervivencia.

A veces intentará deprimirte, te pillará con tus defensas debilitadas. Puede que alguien te ofrezca un cigarrillo, y tal vez olvides que has dejado de fumar. Cuando te acuerdes habrá un momento en que sientas que te falta algo. Prepárate de antemano para estas trampas. Sea cual sea la tentación, ten siempre presente que no es más que el «monstruito» haciendo de las suyas, y que cada vez que te resistas le darás otro golpe mortal.

Hagas lo que hagas, no intentes dejar de pensar en el tabaco. Eso es lo que hace que se depriman tanto los fumadores que utilizan el Método de la Fuerza de Voluntad. Intentan aguantar cada día, con la esperanza de olvidarlo al final.

Es un poco como el insomnio. Cuanto más te preocupes por ello, más difícil te resulta dormir.

De todas formas, no vas a poder olvidarlo. Durante los primeros días el «monstruito» no dejará de recordártelo, y no lo podrás evitar. Mientras haya fumadores a tu alrededor te lo recordarán constantemente, lo mismo que la propaganda masiva de las multinacionales tabacaleras.

No es necesario intentar olvidarlo. No te va a ocurrir nada malo, sino todo lo contrario: ¡está ocurriendo algo maravilloso! Aunque pienses en el tabaco mil veces al día, SABOREA CADA MOMENTO, COMENTA CONTIGO MISMO LO MARAVILLOSO QUE ES SER LIBRE, ACUÉRDATE DE LA ALEGRÍA TREMENDA DE NO TENER QUE ASFIXIARTE TODO EL DÍA NUNCA MÁS.

Como ya he dicho, las ansias que sentirás llegarán a ser momentos de placer, y te asombrarás cuando veas lo fácil que es olvidarlo después.

Sea como sea, NUNCA DUDES DE TU DECISIÓN. Si comienzas a dudar, empezarás a añorar la ilusión, yendo a peor. En vez de esto, utiliza ese mismo momento como oportunidad para reforzar tu decisión. Si tienes un momento de depresión, recuerda que eso te lo ocasionó el tabaco. Si un amigo te ofrece un cigarrillo, dile con orgullo: «Afortunadamente ya no lo necesito.» Quizás se sienta mal, pero si él ve que es cierto que ya no los necesitas, pensará seriamente en dejarlo él también. Le habrás hecho un favor.

Recuerda que tenías una serie de razones muy poderosas para dejar de fumar al principio. Recuerda los cientos de miles de pesetas que te costará el primer cigarrillo que fumes, y pregúntate si quieres volver a correr el riesgo de contraer una de esas terroríficas enfermedades. Sobre todo recuerda, la sensación pasará rápidamente y es un paso más hacia tu meta final.

Algunos fumadores temen pasar el resto de la vida en una lucha contra los dispositivos psicológicos. En otras palabras, piensan que siempre tendrán que utilizar trucos psicológicos para autoconvencerse de que no quieren fumar. No es así. Acuérdate de que el optimista ve la botella medio llena, mientras que el pesimista la ve medio vacía. En el caso del fumar, la realidad es que la botella está completamente vacía, pero el fumador la ve llena. A quien se le ha lavado el cerebro es al fumador. Si empiezas a convencerte de que no te hace falta fumar, en poco tiempo podrás dejar de repetírtelo. Porque la auténtica verdad es esa: no te hace falta fumar. El tabaco no hace nada por ti. Lo último que tienes que hacer en esta vida es fumar. Procura QUE NO SEA LO ÚLTIMO QUE HAGAS.

Capítulo 34

Sólo una calada

Aquí es donde fracasan muchos fumadores que intentan dejarlo con el Método de la Fuerza de Voluntad. Aguantan tres o cuatro días, y luego fuman un cigarrillo ocasional o se toman unas cuantas caladas para «ayudarse». No se dan cuenta del efecto devastador que esto tiene en su moral.

Para la mayoría de los fumadores esa primera calada no sabe bien, y eso les alegra. Piensan: «Qué bien, no me ha gustado, ya estoy perdiendo las ganas de fumar.»

Lo que ocurre es todo lo contrario. Grábatelo en tu mente: NUNCA DISFRUTABAS DE LOS CIGARRILLOS. El disfrute no fue la razón por la que fumabas. Si los fumadores fumasen por gusto, nadie fumaría un segundo cigarrillo después del primero.

La única razón por la que fumabas era para alimentar ese «monstruito». Piensa que lo has dejado sin comida; imagínate lo que le habrá gustado esa caladita que te has dado. Conscientemente no te das cuenta de ello, pero en el subconsciente se registrará la dosis que acaba de entrar en el cuerpo, y se derrumbarán todas tus prevenciones anteriores. Ya habrá una vocecita en la oscuridad de tu mente, diciendo: «A pesar de todos los argumentos lógicos, no hay nada como un pitillo. Quiero otro.» Esa caladita tiene dos efectos nefastos:

1. Mantiene vivo el «monstruito» en tu cuerpo.
2. Lo que es peor, alimenta al «gran monstruo» que tienes en la mente. La primera caladita te llevará con facilidad a la segunda.

RECUERDA: CON UN «SOLO CIGARRILLO» ES COMO SE ENGANCHA LA GENTE AL PRINCIPIO.

Capítulo 35

¿Será más difícil para mí que para otros?

Hay un número infinito de factores combinados que afectan a cada individuo y que influyen en el grado de dificultad que encuentra cada uno. Todos tenemos nuestro propio carácter, nuestro tipo de trabajo, nuestra situación en la vida, nuestro momento ideal, etc.

En algunas profesiones es más difícil que en otras, pero a condición de que se elimine el lavado de cerebro, no tiene por qué ser así. Nos ayudará si consideramos algunos ejemplos.

Dejar de fumar tiende a ser especialmente difícil para los médicos. Pensamos que les debería resultar más fácil, ya que son más conscientes de los riesgos para la salud, y todos los días tienen la evidencia delante de sus ojos. Tienen, por tanto, más motivos que nadie para dejar de fumar, pero eso no se lo hace más fácil, por varias razones:

1. El mero hecho de ver constantemente los efectos del tabaco en la salud produce miedo. Uno de los momentos en los que fumamos es cuando sentimos miedo.

2. El trabajo de un médico es de los que más estrés producen, y normalmente le está prohibido aliviar el estrés adicional del *mono* mientras trabaja.

3. A todo esto se le añade otro estrés: la sensación de culpabilidad. El médico se da cuenta de que él debería ser un ejemplo para el resto de la población. Esto aumenta la tensión en su mente, y le hace sentir aún más la privación del tabaco.

Durante sus merecidos descansos, al desaparecer momentáneamente el estrés del trabajo, el cigarrillo cobra un valor enorme, cuando por fin puede aliviar el *mono*. Es otro tipo de fumador ocasional, como todos los que están obligados a no fumar durante varias horas. El fumador que utiliza el Método de la Fuerza de Voluntad se deprime porque cree perderse algo. No disfruta del descanso ni de su café. Por tanto, la sensación de privación que tiene aumenta, y por la asociación de ideas cree que la ocasión sólo es agradable si fuma. Sin embargo, si logra quitarse el lavado de cerebro y deja de deprimirse por no tener un cigarrillo, el descanso y el café pueden seguir resultando agradables, aun mientras dura la adicción física a la nicotina.

Otra situación difícil se presenta cuando el trabajo es aburrido, especialmente si se combina con algún tipo de estrés. Los ejemplos típicos son los camioneros y las amas de casa, sobre todo si estas tienen niños pequeños. El trabajo supone bastante estrés, pero al mismo tiempo es en gran parte monótono. Cuando intenta dejar de fumar por el Método de la Fuerza de Voluntad, el ama de casa tiene largas horas vacías para sentirse privada por lo que ha «sacrificado». Por tanto, se siente más deprimida.

Aquí también se puede reducir mucho la dificultad con la actitud mental correcta. No te preocupes si estás constantemente acordándote de que has dejado de fumar. Utiliza estos momentos para alegrarte destruyendo al «monstruito» malvado. Si tienes una actitud mental correcta, se pueden convertir en momentos de placer.

Acuérdate: cualquier fumador, no importa su edad, sexo, nivel de inteligencia o profesión, puede encontrar fácil y agradable dejar de fumar a condición de que SIGA TODAS LAS INSTRUCCIONES.

Capítulo 36

Las razones principales del fracaso

Hay dos razones que destacan: la primera es la influencia de los demás fumadores. En cualquier momento de debilidad tuya, o durante una fiesta cualquiera, alguien encenderá un cigarrillo. Ya he hablado de este peligro con bastante detalle. Aprovecha ese momento para repetirte que no existe eso de «un solo cigarrillo». Alégrate de romper la cadena. Recuerda que el fumador te envidia a ti; siente compasión por él. Él necesita tu compasión, créeme.

La segunda razón principal es tener un mal día. Date cuenta con toda claridad antes de dejarlo que siempre hay días malos y días buenos, seas fumador o no. Todo es relativo en esta vida, y no se pueden tener momentos buenos sin tener los malos de vez en cuando.

El problema para dejarlo con el Método de la Fuerza de Voluntad es que en cuanto el ex fumador tenga un mal día, empezará a añorar sus cigarrillos. Y el día que empezó mal, acaba todavía peor. El no fumador está mejor preparado, tanto física como mentalmente, para afrontar los problemas y las tensiones de la vida.

Si tienes un mal día durante el período de la retirada de la nicotina, aguanta el golpe. Recuerda que también había días malos cuando fumabas (si no fuera así, no habrías decidido dejar de fumar), y en lugar de deprimirte piensa algo así: «Bueno, hoy no es mi día, pero si me fumo un cigarrillo, no va a mejorar. Mañana ya será mejor, y al menos tengo todavía la gran satisfacción de haberme liberado del tabaco.»

Cuando eres fumador se cierra la mente ante los aspectos malos del fumar. Los fumadores nunca padecen la tos de fumador, sino que están permanentemente resfriados. Cuando tu coche se avería en medio de la nada, enciendes un cigarrillo, pero ¿estás feliz y de buen humor ahora? Por supuesto que no. Una vez dejas de fumar, la tendencia será echar la culpa de todo lo que te va mal en tu vida al hecho de haberlo dejado. Ahora cuando se averíe tu coche, piensa: «En momentos como estos hubiera encendido un cigarrillo.» Es la verdad, pero has olvidado que el cigarrillo no resolvía el problema, y simplemente te estás castigando al añorar una ayuda ilusoria. Estás creando una situación imposible. Te sientes desgraciado porque no puedes fumar el cigarrillo y te sentirás aún más desgraciado si lo fumas. Sabes que has tomado la decisión correcta al dejar de fumar, no te castigues a ti mismo y no pongas nunca en duda tu decisión.

RECUERDA: PASE LO QUE PASE, HAY QUE TENER SIEMPRE UNA ACTITUD MENTAL POSITIVA.

Capítulo 37

Los sustitutos

Los sustitutos incluyen el chicle, los caramelos, las pastillas de menta, los cigarrillos de hierbas y toda clase de píldoras. NO UTILICES NINGUNO. Te lo harán más difícil, en lugar de más fácil. Si sientes ganas de fumar y usas un sustituto, prolongarás la ansiedad y será más difícil resistir. Lo que estás diciendo en realidad es: «Tengo que fumar o encontrar otra cosa para llenar el vacío.» Sería como si te dejaras influir por las pataletas de un niño. Tendrás más ganas todavía de fumar, y la tortura durará más. De todas formas, los sustitutos no aliviarán las ganas. La ansiedad es por la nicotina, no por la comida. Lo único que conseguirás con los sustitutos será obsesionarte más con el tabaco. Recuerda:

1. No existe sustituto de la nicotina.
2. No necesitas la nicotina. No es un alimento, es un veneno. Cuando notes la ansiedad recuerda que sólo la padecen los fumadores; los no fumadores no la sufren. Considera la ansiedad como otro mal de la droga, cuyo significado ahora es la muerte del «monstruito».
3. Recuerda que los cigarrillos crean el vacío, no lo llenan. Cuanto antes le enseñes a tu cerebro que no necesitas fumar ni hacer otra cosa en su lugar, antes serás libre.

En especial, evita los chicles de nicotina o cualquier otro producto que contenga nicotina. La teoría es que dejas de fumar, y, mientras rompes el hábito, mantienes nicotina en el cuerpo, por tanto, no padeces una ansiedad terrible por la retirada de la nicotina. En la práctica, te lo hace todo más difícil por la siguiente razón: fumamos para aliviar el *mono* que la nicotina crea. Pero el *mono* de la nicotina es tan benigno que en realidad no es necesario aliviarlo cuando dejas de fumar definitivamente. Dura poco, no duele, y cuando termina, ya se acabó para siempre el maldito hábito. El problema fundamental en el fumar, como ya he dicho muchas veces, es el lavado de cerebro. Los chicles de nicotina sólo prolongan la adicción química, lo cual a su vez prolonga la adicción psicológica.

Hay muchos ex fumadores que ahora son adictos a los chicles de nicotina. También hay muchos adictos a estos chicles que siguen fumando.

No te engañes pensando que el chicle sabe fatal. Recuerda que tu primer cigarrillo también supo fatal.

Todos los sustitutos tienen el mismo efecto que el chicle de nicotina. Hablo de: «No puedo fumar un cigarrillo, por tanto me tomo o bien chicle normal, caramelos, o caramelos de menta para llenar el vacío.» Aunque es difícil distinguir entre esta sensación de vacio por el deseo de un cigarrillo y el hambre por la comida, uno no satisface el otro. En realidad, el atiborrarte de chicles o caramelos de menta te hará desear un cigarrillo incluso más.

Pero el mal principal de los sustitutos es que prolongan el verdadero problema: el lavado de cerebro. ¿Necesitaste un sustituto después de tener la gripe? Por supuesto que no. Al decir: «Necesito un sustituto para dejar fumar», lo que estás diciendo en realidad es «me estoy privando». La depresión que se asocia al Método de la Fuerza de Voluntad está causada por el hecho de que el fumador cree que se está privando de algo. Lo único que haces es sustituir un problema por otro. No hay placer en atiborrarte de golosinas. Sólo engordarías y te sentirías desgraciado y dentro de nada estarías enganchado al hierbajo otra vez.

Acuérdate, no necesitas ningún sustituto. Estas punzadas vienen de la ansiedad por un veneno y pronto desaparecerán. Deja que esto sea tu ayuda durante los próximos días. *Disfruta* eliminando el veneno de tu cuerpo, y la esclavitud y dependencia de tu mente.

Si al tener mejor apetito, comes algo más en las comidas principales y ganas unos gramos durante los próximos días, no te preocupes. Cuando experimentas el instante de la «revelación» que describiré más tarde, tendrás más confianza en ti mismo y encontrarás que cualquier problema se resuelve con una actitud positiva. Podrás decidir incluso cómo te alimentas. Pero no deberías comer entre comidas. Si lo haces, engordarás, te sentirás desgraciado y nunca sabrás cuándo te liberarás. Sólo estarás trasladando el problema, en vez de deshacerte de él.

Capítulo 38

¿Debo evitar las situaciones tentadoras?

He sido bastante dogmático en mis consejos hasta ahora, y prefiero que trates todo lo que digo, más como una serie de instrucciones que como consejos. Soy dogmático, porque hay razones concretas y prácticas en lo que digo y es el resultado del estudio de miles de casos reales.

Sin embargo, cuando se trata de evitar o no evitar las situaciones en las que uno puede sentirse tentado, me resulta más difícil ser dogmático. Cada fumador tendrá que decidirlo él mismo. De todos modos, puedo hacer un par de comentarios que espero que sirvan.

Repito que fumamos toda la vida por miedo, y ese miedo tiene dos fases claramente distinguibles:

1. ¿Cómo voy a poder vivir sin tabaco?

   Este miedo es una sensación de pánico que se apodera de ti, cuando ves que se acaban los cigarrillos y los bares y las tiendas están cerrados. Este pánico no es resultado del *mono*, sino de la sensación psicológica de dependencia: no puedes sobrevivir si no tienes tabaco. El miedo llega a su punto culminante cuando fumas tu último cigarrillo; en este momento el *mono* es mínimo.

   Es miedo a lo desconocido, el mismo miedo que se siente cuando uno aprende a tirarse al agua desde un trampolín. El trampolín está a medio metro del agua, y parece que está a tres metros. Hay dos metros de agua, pero parece como si sólo hubiera un palmo. Se necesita coraje para tirarse. Estás convencido de que te vas a partir el cráneo. Ese primer salto es lo difícil. Una vez que te has tirado, el resto es fácil.

A su vez esto explica, por qué algunas personas de mucha voluntad no tratan nunca de dejar de fumar, o cuando lo intentan no duran más que unas horas. Algunos de los que fuman veinte cigarros al día tratan de dejarlo, y enciended un cigarrillo en menos tiempo que si no se lo hubieran propuesto. La decisión les produce pánico, que es una forma de estrés. Inmediatamente se dispara el mecanismo mental: «Fúmate un cigarrillo»; pero ya no puedes, te has privado de algo (más estrés todavía), se dispara el mecanismo otra vez, hasta que se funden los fusibles y enciended un cigarrillo.

No te preocupes, el pánico es sólo psicológico. Es el miedo a la sensación de dependencia. La gran verdad es que no dependes del tabaco, ni siquiera mientras te dure la adicción a la nicotina. No te asustes, confía en mí y tírate.

2. La segunda fase del miedo llega a más largo plazo; es el temor de que ciertos momentos o ciertas situaciones perderán su valor o su gusto si no puedes fumar, o el no saber si vas a poder afrontar los momentos traumáticos de la vida sin tabaco. No te preocupes; si tienes suficiente coraje para tirarte, encontrarás que es todo lo contrario.

Podemos dividir cómo no evitar la tentación en dos categorías:

1. «Tendré siempre tabaco a mano. No fumaré, pero me sentiré más seguro si sé que está allí.»

   El porcentaje de personas que fracasan haciendo esto es mucho mayor que el de las personas que tiran los cigarrillos. Creo que es así porque si tienes un mal momento durante el período de retirada de la nicotina, es más fácil encender un cigarrillo teniéndolo a mano; mientras que si tienes que pasar por la vergüenza que supone tener que salir a comprar tabaco, será más fácil vencer a la tentación. De todas formas el momento habrá pasado antes de que llegues al estanco.

Pero también creo que el alto porcentaje de fracasos en estos casos se debe a que el fumador no está plenamente comprometido en dejarlo. Recuerda que hay dos elementos esenciales para el éxito:

La convicción total.

Poderse decir: «Qué maravilla, ya no tengo que fumar más.»

En cualquiera de los casos, ¿por qué tienes que tener tabaco? Si todavía sientes la necesidad de llevar un paquete de tabaco a todas partes, creo que deberías volver a leer el libro. Es probable que haya algo que no has captado bien.

2. «¿Debo evitar las situaciones de estrés, o las situaciones sociales, las fiestas, las comidas, etc.?» Mi consejo es: si puedes evitar situaciones de estrés, hazlo durante el período de retirada de la droga. No va a servir de nada someterte a unas presiones innecesarias. En cuanto a las situaciones sociales, creo que debes empezar a disfrutarlas del todo desde un principio. No necesitas el tabaco, incluso mientras sigas enganchado a la nicotina. Ve a la fiesta y disfruta del hecho de que ya no necesitas fumar. Enseguida te demostrarás a ti mismo que uno se lo pasa mejor sin tabaco, piensa en lo que vas a disfrutar cuando destruyas definitivamente al «monstruito» y elimines de tu cuerpo todos esos venenos.

Capítulo 39

El instante de la «revelación»

Normalmente el momento de la revelación llega al cabo de unas tres semanas después de dejar de fumar. De repente parece como si el cielo fuera más luminoso, y aquí acaba por fin el lavado de cerebro. Al momento ya no necesitas decir que no te hace falta fumar, y te das cuenta de que, efectivamente, es verdad. Se rompe el último hilo de la cuerda, ya sabes que puedes disfrutar del resto de tu vida sin tener que fumar. Suele ser a partir de este momento cuando los fumadores empiezan a causarte una sensación de lástima.

Los fumadores que utilizan el Método de la Fuerza de Voluntad no suelen nunca experimentar este momento, porque aunque les gusta ser no fumadores, siguen creyendo que han sacrificado algo.

Cuanto más fumases, mayor es la satisfacción de este momento, y es una satisfacción que dura toda la vida.

Creo que he tenido mucha suerte en esta vida, y he tenido momentos realmente maravillosos, pero de todos ellos el más maravilloso ha sido este momento de revelación. Cuando pienso en otros momentos felices de mi vida, sé que fueron felices, pero no logro revivir la sensación de felicidad. Sin embargo, la felicidad que siento al no tener que fumar está siempre conmigo. Ahora, si alguna vez estoy triste y necesito algo que me levante el ánimo, pienso en lo fantástico que es no estar enganchado con ese asqueroso hierbajo. La mitad de las personas que se ponen en contacto conmigo después de dejar el hábito, dicen lo mismo: que ha sido el momento más feliz de su vida. ¡Qué placer te espera!

Con la ventaja de cinco años de experiencia, desde los comentarios que he recibido de personas que han leído este libro, y en mis sesiones, he aprendido, que en la mayor parte de los casos el instante de la revelación ocurre no pasadas las tres semanas, como acabo de decir, sino en unos días.

En mi propio caso ocurrió antes de apagar mi último cigarrillo; y en muchas ocasiones, en mis primeras sesiones cuando atendía a las personas una por una, incluso antes de llegar al final de la sesión los fumadores decían algo como: «No necesitas decir nada más, Allen. Lo veo con tanta claridad, sé que nunca más volveré a fumar.» En las sesiones en grupo he aprendido a ver cuando esto ocurre, sin que nadie me diga nada. Por las cartas recibidas, también soy consciente de que ocurre muchas veces con el libro.

Lo ideal es que si sigues todas las instrucciones y comprendes la psicología completamente, tendría que ocurrirte a ti inmediatamente.

Hoy día, en mis sesiones, digo a los fumadores que se tarda unos cinco días para que la ansiedad física perceptible desaparezca, y unas tres semanas para que un ex fumador se libere de la nicotina completamente. En cierto modo no me gusta dar tales pautas. Puede causar dos problemas. El primero es que introduzco la sugerencia en la mente de las personas de que tendrán que «sufrir» entre cinco días y tres semanas. El segundo es que el ex fumador tiende a pensar: «Si llego a aguantar durante cinco días o tres semanas, puedo esperar un verdadero estímulo al final de este período.» Sin embargo, puede que tenga cinco días o tres semanas agradables, seguido por uno de estos días desastrosos que atacan a no fumadores y fumadores (que no tiene nada que ver con el fumar, sino que se deben a otros factores en nuestra vida). En vez de tener el momento de revelación que está esperando nuestro ex fumador, experimenta una depresión. Podría destruir su confianza.

Sin embargo, si no doy pautas, el ex fumador puede pasar el resto de su vida esperando que ocurra algo. Sospecho que esto es lo que ocurre a la gran mayoría de fumadores que lo dejan con la ayuda del Método de la Fuerza de Voluntad.

Hubo un momento en que pensé decir que la revelación debería ocurrir inmediatamente. Pero si lo hiciera y no ocurriera de modo inmediato, el ex fumador perdería confianza y pensaría que no iba a ocurrirle nunca.

Mucha gente me pregunta por el significado de los cinco días y tres semanas. ¿Acaso son períodos que he fijado yo al azar? No. Es obvio que no son fechas exactas, pero están basadas en la información que he acumulado a lo largo de los años. Al cabo de unos cinco días después de dejar de fumar, es cuando el fumar deja de ocupar el primer lugar en la mente del ex fumador. Es más o menos entonces cuando la mayoría de los ex fumadores experimentan el instante de revelación. Puede que venga después de una situación de estrés, o tras una ocasión social, o después de una de estas ocasiones en las que pensabas que no podrías hacerles frente o disfrutar sin un cigarrillo. De repente te das cuenta de que no sólo le hiciste frente, o disfrutaste, sino que además ni pensaste en fumar y este es el maravilloso instante en el que sabes seguro que puedes liberarte.

He observado de mis tentativas anteriores empleando el Método de la Fuerza de Voluntad, y por la experiencia de otros fumadores, que pasadas unas tres semanas, fracasan la mayoría de las tentativas serias para dejar de fumar. Creo que lo que ocurre es que al cabo de unas tres semanas, sientes que has perdido las ganas de fumar. Necesitas probarte en esto y enciendes un cigarrillo. Sabe rarísimo. Has probado que lo has conseguido. Sin embargo has vuelto a introducir nicotina en el cuerpo, y tu cuerpo lleva tres semanas añorando la nicotina. En el momento que apagas ese cigarrillo, la nicotina empieza a salir de tu cuerpo. Ahora una vocecita dice: «No lo has conseguido. Quieres otro.» No enciendes otro inmediatamente porque no quieres engancharte de nuevo. Dejas que pase un período seguro. La próxima vez que tengas la tentación puedes decirte: «No me enganché la otra vez, así que no me hace ningún daño si fumo otro.» Ya estás en la cuesta abajo.

La solución a este problema es no obsesionarte con el instante de la revelación, sino darte cuenta de que en el momento en que apagas ese último cigarrillo, ya se acabó. Ya has hecho todo lo que tenías que hacer. Has cortado el suministro de nicotina. Ninguna fuerza en esta Tierra puede impedir que te liberes, a no ser que añores tristemente el cigarrillo o que te quedes esperando la revelación. Sal y disfruta de la vida; hazle frente desde el principio. De este modo, pronto experimentarás el instante.

Capítulo 40

El último cigarrillo

Una vez que has elegido el momento, ya estás preparado para fumarte ese último cigarrillo. Antes de hacerlo, asegúrate de que cumples con los dos puntos esenciales:

1. ¿Estás seguro de que vas a lograrlo?
2. ¿Cuál es tu estado de ánimo? ¿Tienes una sensación de gran temor, o piensas que vas a conseguir algo maravilloso?

Si tienes alguna duda, vuelve a leer el libro antes de lanzarte.

Cuando te sientas completamente dispuesto, fúmate tu último cigarrillo. Hazlo completamente solo, y fúmatelo de modo consciente. Concéntrate en cada calada, fíjate en el sabor y en el olor, en los humos cancerígenos que entran en tus pulmones, en los venenos que te taponan las venas y las arterias, en la nicotina que entra en tu cuerpo.

Cuando finalmente lo apagues, piensa en lo maravilloso que va a ser no tener que hacerlo nunca más. La alegría que se siente al liberarse de esta esclavitud es como si salieses de un mundo negro y tenebroso a otro lleno de luz y calor.

Capítulo 41

Una última advertencia

Todos los fumadores, con lo que saben ahora, si pudieran volver a la época anterior a engancharse al tabaco, optarían por no empezar a fumar nunca. Muchos de los fumadores que solicitan mis consejos, están convencidos de que si yo les ayudo a dejarlo, nunca en la vida volverán a fumar. Sin embargo, todos conocemos a personas que dejan de fumar, viven perfectamente felices durante años sin tabaco, y luego caen otra vez en la trampa.

Espero que este libro te ayude a dejar de fumar, y que te lo haga relativamente fácil. Pero ten cuidado: si es fácil dejarlo, también es fácil volver a empezar.

NO CAIGAS EN ESA TRAMPA

Aunque lo dejes durante mucho tiempo, y aunque te sientas muy convencido de que no volverás a fumar, tienes que imponerte una regla absoluta: no volver a probar el tabaco nunca, por ningún motivo. Tienes que combatir los efectos de los muchos millones de pesetas que se gastan las empresas tabacaleras en publicidad, y recuerda que lo que quieren vender es el veneno asesino número uno. No se te ocurriría probar la heroína, pero anualmente mueren más miles de personas por el tabaco que por la heroína.

Recuerda ese primer cigarrillo, no hará nada por ti. No tendrás ningún *mono* que aliviar, y sabrá fatal. Lo que sí hará será meter una dosis de nicotina en tu cuerpo y en cuanto lo termines, oirás esa vocecita al fondo de tu mente diciéndote: «¿quieres otro?» Entonces tendrás que elegir: pasar otra vez por todo el proceso de dejar la droga, o volverte a enganchar a la sucia cadena.

Capítulo 42

Cinco años de experiencia

Ahora cuento con cinco años más de experiencia, desde que publiqué la primera edición de este libro. Esta experiencia es producto de lo que he aprendido de los fumadores que acuden a mis sesiones y de cartas que he recibido de los que han leído el libro. Al principio era una lucha. Los llamados expertos menospreciaban mi método. En la actualidad fumadores de todo el mundo acuden a mis sesiones, y más médicos que miembros de cualquier otra profesión. En el Reino Unido se considera el libro como la ayuda más efectiva para dejar de fumar y su fama está extendiéndose rápidamente por el resto del mundo.

No soy filántropo. Hago hincapié en que mi batalla no es contra los fumadores, sino contra el fumar; y la libro por la razón puramente egoísta de que me gusta hacerlo. Cuando me entero de que un fumador ha podido escapar de la prisión, recibo una inmensa sensación de placer, aunque no tenga nada que ver conmigo. Puedes imaginar el inmenso placer que obtengo de los miles de cartas de agradecimiento que he recibido a lo largo de los años.

También he padecido mucha frustración, causada, en principio, por dos categorías de fumador. En primer lugar, a pesar de mi advertencia en el capítulo anterior, me perturba el número de fumadores que encuentran fácil dejarlo, pero que vuelven a engancharse y luego encuentran que no pueden conseguirlo una segunda vez. Esto se aplica no sólo a lectores del libro, sino a los que acuden a mis sesiones.

Hace unos dos años un hombre me llamó por teléfono. Estaba muy alterado; bueno, estaba llorando. Dijo:

«Te pagaré mil libras (doscientas mil pesetas) si puedes ayudarme a dejar de fumar durante una semana. Sé que si puedo aguantar una semana, lo conseguiré.» Le dije que cobraba un precio fijo y que no tenía que pagar más. Acudió a una sesión en grupo y, asombrado, encontró fácil dejarlo. Me mandó una carta muy bonita de agradecimiento.

Casi lo último que digo a los ex fumadores que salen de mis sesiones es: «Recuerda, nunca debes fumar otro cigarrillo.» Este hombre dijo: «No te preocupes, Allen. Si llego a dejarlo, no fumaré nunca más.»

Sabía que la advertencia no le había entrado de verdad. Dije: «Sé que te sientes así ahora, pero ¿cómo te sentirás dentro de seis meses?»

Dijo: «Allen, no fumaré nunca más.»

Un año más tarde, otra llamada. «Allen, he fumado un puro en Navidad, y ahora estoy fumando cuarenta cigarrillos al día.»

Le dije: «¿Te acuerdas cuando me llamaste la primera vez. Lo odiabas tanto que estabas dispuesto a pagarme mil libras si pudieras dejarlo durante solo una semana.»

—«Si me acuerdo, ¡qué estúpido he sido!»

—«¿Te acuerdas que me prometiste no volver a fumar nunca más?»

—«Lo sé. Soy imbécil.»

Es como encontrar a alguien hundido hasta el cuello en lodo. Le ayudas a salir. Está muy agradecido, y luego seis meses más tarde se vuelve a tirar en el mismo sitio.

Irónicamente, cuando este hombre acudió a otra sesión dijo: «Lo puedes creer, ofrecí pagarle a mi hijo mil libras si no fumaba antes de cumplir los veintiún años. Se lo he pagado y ahora a los veintidós años fuma como un loco. No puedo creer que pudiera ser tan estúpido.»

Dije: «No veo cómo puedes llamarle a él estúpido. Al menos evitó la trampa durante veintidós años y no entiende la miseria que le espera. Tú lo sabías y sobreviviste sólo un año.»

Los fumadores que encuentran fácil dejar de fumar y vuelven a empezar son un problema especial y he publicado otro libro para ayudarles. Mientras tanto, cuando te liberes, TE RUEGO QUE NO COMETAS EL MISMO ERROR. Los fumadores creen que tales personas vuelven a empezar porque siguen enganchadas y echan de menos el cigarrillo. En realidad encuentran tan fácil dejarlo que pierden su temor a fumar. Piensan: «Sí, puedo fumar un cigarrillo ocasional. Incluso si me engancho de nuevo, encontraré fácil dejarlo.»

Me temo que no funciona así. Es fácil dejar de fumar, pero es imposible intentar controlar la adicción. Lo único imprescindible para convertirse en no fumador es *no fumar.*

Otra categoría de ex fumadores que me causa frustración es la de aquellos que tienen demasiado miedo para intentarlo o, cuando lo intentan, les es muy difícil. Las dificultades principales parecen ser las siguientes:

1. Miedo ante el fracaso. No hay que tener vergüenza por fracasar, pero no probarlo es una sencilla estupidez. Igual que si no compras un billete de lotería, no te tocará nunca. Lo peor que te pueda ocurrir es que fracases, en cuyo caso no estarías peor de lo que estás ahora. Piensa en lo maravilloso que será si lo consigues. Si no lo intentas, está garantizado que has fracasado.

2. Miedo ante el pánico y a la depresión. No te preocupes. Pregúntate: ¿qué cosa tan terrible me sucedería si nunca más fumo otro cigarrillo? Nada en absoluto. Te ocurrirán cosas terribles si sigues fumando. En todo caso, el pánico se debe a los

cigarrillos y pronto desaparecerá. El mayor beneficio es deshacerte de ese miedo. ¿Verdaderamente, crees que existen fumadores dispuestos a que se les amputen los brazos y las piernas por el placer que piensan recibir fumando? Si sientes que te entra el pánico, ayúdate inspirando profundamente. Si estás con otras personas y te están deprimiendo, aléjate de ellas. Escapa al garaje o a una habitación vacía o donde sea.

Si sientes que quieres llorar, no tengas vergüenza. Llorar es una manera natural de aliviar la tensión. Nadie ha llorado sin sentirse mejor después. Una de las cosas terribles que hacemos es enseñar a los niños a no llorar. Ves cómo luchan para que no les salgan las lágrimas, y observa cómo aprietan la mandíbula. Estamos diseñados para mostrar nuestras emociones y no reprimirlas. Grita, chilla o entra en cólera. Dale una patada a un archivador o a una caja de cartón. Considera tu batalla como un partido de boxeo que no piensas perder.

Nadie puede parar el tiempo. Cada momento que pasa, el «monstruito» está muriendo. Disfruta de tu triunfo inevitable.

3. No seguir las instrucciones me parece increíble; pero me dicen algunos fumadores: «Tu método no funcionó conmigo.» Luego describen cómo no hicieron caso no sólo de una instrucción, sino de casi ninguna. (Para mayor claridad, resumiré las instrucciones en una lista de referencia al final del capítulo.)

4. Malentender las instrucciones. Los problemas principales parecen ser los siguientes:

   a) «No puedo dejar de pensar en fumar.» Por supuesto que no puedes, y si intentas hacerlo, crearás una fobia y estarás deprimido. Es como intentar dormir por la noche; cuanto más lo deseas, más difícil es. Pienso en el fumar durante el 90 por 100 del tiempo en que estoy despierto y dormido. Lo que piensas es lo importante. Si consideras: «Ah, me encantaría un cigarrillo», o «¿Cuándo seré libre?» te sentirás deprimido. Si piensas: «¡HURRA, soy libre!», serás feliz.

b)   «¿Cuándo desaparecerá la ansiedad física?» La nicotina sale del cuerpo muy rápidamente. Pero es imposible decir cuándo tu cuerpo en particular dejará de ansiar la nicotina. Esa sensación de vacío y de inseguridad se debe al hambre normal, a la depresión o al estrés. Lo único que hace el cigarrillo es aumentar la sensación. Por esto los fumadores que lo dejan empleando el Método de la Fuerza de Voluntad nunca tienen claro cuándo lo han conseguido. Incluso después de que el cuerpo haya dejado de ansiar la nicotina y tiene hambre o estrés normal, su cerebro sigue diciendo: «Esto quiere decir que te apetece un cigarrillo.» Lo esencial es no esperar a que la ansiedad por la nicotina desaparezca; es tan leve que ni siquiera sabemos que está allí. Lo reconocemos sólo con el pensamiento: «Me apetece un cigarrillo.» Cuando sales del dentista después de la última visita, ¿te quedas esperando hasta que deje de dolerte la boca? Por supuesto que no. Continúas con tu vida. Incluso si sigues con un leve dolor en tu mandíbula, estás feliz.

c)   Quedar en la espera del instante de «revelación». Si te quedas esperándolo, sólo estás causando otra fobia. Una vez lo dejé durante tres semanas con el Método de la Fuerza de la Voluntad. Me encontré con un compañero del colegio ex fumador.

Preguntó: «¿Qué tal te va?»

Dije: «Lo he aguantado durante tres semanas.»

Dijo: «¿Qué quieres decir, has aguantado durante tres semanas?»

Dije: «Llevo tres semanas sin un cigarrillo.»

Dijo: «¿Y qué vas a hacer? ¿*Aguantar* el resto de tu vida? ¿Qué estás esperando? Ya lo has hecho. Eres un no fumador.

Pensé: «Tiene toda la razón. ¿Qué estoy esperando?» Desafortunadamente, como en ese momento de mi vida no entendía la naturaleza precisa de la trampa, pronto volví a caer dentro; pero aquella observación se quedó conmigo. Te haces no fumador en el momento en que apagas tu último cigarrillo. Lo importante es ser feliz desde el principio siendo un no fumador.

d) «Sigo ansiando los cigarrillos.» Entonces te estás comportando de modo muy estúpido. ¿Cómo puedes pretender decir «quiero ser no fumador» y luego decir «me apetece un cigarrillo»? Es una contradicción. Si dices: «me apetece un cigarrillo», estás diciendo: «Quiero ser fumador.» A los no fumadores no les apetece fumar los cigarrillos. Ya sabes lo que quieres hacer en realidad, así que deja de castigarte.

e) «He optado por no vivir.» ¿Por qué? Lo único que tienes que hacer es dejar de asfixiarte. No tienes por qué dejar de vivir. Mira, es así de sencillo. Durante los próximos días tendrás un leve trauma en tu vida. Tu cuerpo ansiará la nicotina a nivel físico. Ahora, ten en cuenta lo siguiente: no estás peor de lo que estabas. Esto lo llevas padeciendo durante toda tu vida como fumador, cada vez que duermes, o en la iglesia, o en el supermercado o en una biblioteca. ¿No te molestaba cuando eras fumador?, si no lo dejas seguirás padeciendo este estrés durante el resto de tu vida. Los cigarrillos no mejoran las comidas, ni las copas, ni las ocasiones sociales; las estropean. Incluso mientras tu cuerpo sigue ansiando la nicotina a nivel físico las comidas y ocasiones sociales son maravillosas. La vida es una maravilla. Participa en acontecimientos sociales, incluso sabiendo que habrá veinte fumadores. Acuérdate, no eres *tú* quien se priva, sino *ellos*. A cada uno de ellos le encantaría ser como tú. Disfruta de ser la *prima dona* y el centro de sus atenciones. Dejar de fumar puede ser un maravilloso tema de conversación, sobre todo cuando los fumadores ven que eres feliz y que estás de buen humor. Pensarán que eres increíble. Lo importante es que estarás disfrutando de la vida desde el principio. No hace falta envidiarles a ellos. Ellos te estarán envidiando a ti.

f) «Estoy triste e irritable.» Eso es porque no has seguido mis instrucciones. Entérate de cuáles son. Algunas personas entienden y creen todo lo que digo, pero empezarán con un sentimiento de pesimismo, como si algo terrible estuviera ocurriendo. No sólo estás haciendo lo que querrías hacer, sino lo que cada fumador en el planeta querría hacer. Con cualquier método para dejarlo, el ex fumador trata de lograr una cierta actitud mental, de manera que, cuando re-

flexiones sobre el fumar piensa: «¡HURRA,
SOY LIBRE!» Si este es tu objetivo, ¿por qué
esperar? Empieza con esta actitud y no la pierdas nunca. El resto del libro está diseñado para
hacerte entender que no hay alternativa.

Las instrucciones

Si sigues estas sencillas instrucciones, es imposible
que fracases:

1. Toma la decisión solemne de que nunca más fu-
   marás, masticarás o chuparás nada que contenga
   nicotina, y nunca dudes de tu decisión.

2. Grábatelo en tu mente: no hay absolutamente
   nada *que sacrificar.* Con esto no quiero decir simplemente que estarás mejor como no fumador (has
   sabido esto toda tu vida); ni quiero decir, aunque
   no hay ninguna razón para fumar, que tienes que
   conseguir algún tipo de placer o ayuda de ello, si
   no, no lo harías. Lo que quiero decir es que no
   existe ningún placer o ayuda auténtico en el fumar.
   Es sólo una ilusión, como darte con la cabeza contra una pared sólo para tener la sensación agradable cuando dejas de hacerlo.

3. No existe esa cosa llamada fumador empedernido. Eres uno de los millones que cayeron en esta
   trampa sutil. Igual que millones de otros ex fumadores que alguna vez pensaban que no podrían
   escapar, tú has escapado.

4. Si en cualquier momento de tu vida sopesaras los
   pros y contras del fumar, siempre llegarías a la
   conclusión: «Deja de hacerlo. Eres imbécil.» Nada
   cambiará esto nunca. Siempre ha sido así y siempre será así. Has tomado lo que tú sabes que es la
   decisión correcta, no te tortures dudando.

5. No intentes no pensar en fumar ni preocuparte de estar pensando en ello continuamente. Pero cuando piensas en fumar —sea hoy, mañana, o el resto de tu vida— piensa: «¡QUÉ BIEN, SOY NO FUMADOR!»

6. NO UTILICES ningún sustituto;
NO GUARDES tabaco;
NO EVITES a otros fumadores;
PROCURA NO HACER CAMBIOS importantes en tus costumbres por el hecho de haber dejado de fumar.
Si sigues las instrucciones, pronto experimentarás el instante de la revelación. Pero:

7. No te quedes en la espera de este instante. Sigue con tu vida. Disfruta de los momentos buenos y afronta los malos. Descubrirás que dentro de nada llegará el instante.

Capítulo 43

Ayuda al pobre fumador que se queda en el barco que se hunde

Últimamente los fumadores tienen miedo. Se dan cuenta de que la actitud hacia el fumar por parte de la sociedad está cambiando. Ahora, hasta los mismos fumadores ven en el fumar un hábito antisocial. Sienten que todo se acaba. Millones de personas están dejando de fumar, y los fumadores son conscientes de esto.

Cada vez que un fumador abandona el barco que se hunde, los que quedan a bordo se sienten más desgraciados. Todos los fumadores saben instintivamente que es absurdo pagar una cantidad importante de dinero por unas hojas secas envueltas en un papel, encenderlo y luego aspirar sus alquitranes cancerígenos dentro de los pulmones. Si todavía no crees que es una estupidez, haz la prueba de meterte un cigarrillo encendido en la oreja. ¿Cuál es la diferencia? Sólo una: por la oreja no consigues tu dosis de nicotina. Si dejas de metértelos en la boca, dejarás de necesitar la nicotina.

Los fumadores no encuentran ninguna justificación racional que explique por qué lo hacen, pero si lo hacen otras personas no se sienten tan ridículos.

Los fumadores mienten como bellacos cuando hablan de su hábito de fumar. Se mienten incluso a sí mismos. Tienen que hacerlo. El lavado de cerebro es necesario para conservar el respeto hacia sí mismo. Sienten la necesidad de justificar su hábito, no sólo a sí mismos, sino también a los no fumadores. Por tanto, siempre están defendiendo las ventajas ilusorias del fumar.

Si un fumador deja de fumar por el Método de la Fuerza de la Voluntad, sigue sintiéndose privado de algo y tiende a convertirse en un quejicoso. Lo único que hace esto es asegurar a los fumadores que tienen razón en seguir fumando.

Si el ex fumador logra dejar de fumar de verdad, simplemente se alegra de no tener que gastar dinero para poder asfixiarse. Pero no lo está haciendo y no tiene que justificarse. No está todo el tiempo diciendo ¡qué maravilla es no fumar! Sólo lo dirá si alguien se lo pregunta, cosa que ningún fumador hará, porque sabe que no le gustaría la respuesta. Recuerda que siguen fumando por miedo, y prefieren esconder la cabeza.

El fumador sólo hace esa pregunta cuando se da cuenta de que es hora de dejarlo.

Ayuda al fumador. Quítale sus miedos. Cuéntale lo estupendo que es no tener que asfixiarse todos los días. Lo maravilloso que es levantarse por las mañanas y sentirse sano en plena forma; en lugar de ponerse a toser y carraspear. Lo fantástico que es liberarse de esa esclavitud, poder disfrutar de todas las cosas de la vida liberándose de esas sombras negras.

Mejor todavía: que lea este libro.

Es importante no humillarle, no decirle que está contaminando el ambiente, o que es una persona sucia. Muchos creen que el ex fumador es el peor en este sentido. Creo que hay algo de eso, y quizás sea uno de los resultados del Método de la Fuerza de Voluntad: el ex fumador, aunque se alegra de ser no fumador, está todavía bajo la influencia del lavado de cerebro, porque todavía cree que ha sacrificado algo. Se siente vulnerable, y para defenderse pasa a atacar al fumador. Puede que así se ayude a sí mismo, pero no ayuda al fumador. Lo único que consigue es ponerle a la defensiva, hacerle sentirse más desgraciado todavía, y aumentar su necesidad de fumar.

Aunque la razón principal por la cual millones de personas dejan de fumar es este cambio de actitud por parte de la sociedad, esto no hace más fácil dejarlo, sino mucho más difícil. La mayoría de los fumadores cree dejar de fumar por motivos de salud, pero la auténtica verdad es otra. Evidentemente, el no correr riesgos de enfermedad y muerte es el mayor beneficio tangible del dejar de fumar; pero este enorme peligro siempre ha existido y los fumadores llevan años matándose sin que ello pareciera importarles. La razón principal por la cual los fumadores dejan de fumar es porque la sociedad por fin empieza a tratar el fumar como lo que es: una asquerosa adicción a una droga. El placer de fumar siempre ha sido una mera ilusión, y esta actitud social destruye la ilusión, así que el fumador se queda sin nada.

La prohibición de fumar en el Metro es un ejemplo clásico del dilema del fumador: el fumador o bien adopta la actitud de: «Muy bien, si no puedo fumar en el Metro, me buscaré otro medio de transporte.» Con esta actitud la prohibición sólo sirve para quitarle dinero a la empresa de transportes urbanos. O bien dice: «Estupendo, esto me ayudará a reducir el consumo.» Resultado: en lugar de fumarse dos cigarrillos diarios en el Metro, el fumador se aguanta sin fumar durante una hora. Durante este período de abstinencia obligada, creerá que hace algún tipo de sacrificio, esperará la recompensa final, y su cuerpo estará reclamando la dosis de nicotina, de forma que cuando sale del Metro y puede encender un cigarrillo: ¡qué maravilloso es!

El caso es que esas abstinencias obligadas no suelen reducir el consumo total de cigarrillos, porque el fumador fuma más cuando se le permite. Lo único que se consigue es grabar en la mente del fumador el enorme valor que tienen para él los cigarrillos y cuánto depende de ellos.

Creo que el aspecto más insidioso de esta abstinencia obligada es el efecto que tiene en mujeres embarazadas. Permitimos, en primer lugar, que se bombardee a los jóvenes inocentes con una publicidad masiva hasta que se enganchan. Luego, justo en el momento de más estrés en la vida de una chica, justo en el momento en que más siente la necesidad de fumar, la profesión médica la chantajea por los riesgos que puede suponer para el niño. Muchas no pueden dejar de fumar y se obligan a padecer un complejo de culpabilidad para el resto de su vida. Muchas lo logran y se alegran de hacerlo pensando: «Estupendo, haré esto por el niño, y al cabo de nueve meses estaré curada de todas formas.» Entonces viene el miedo y el dolor del parto, seguido del momento más feliz de su vida: ha llegado sano y salvo un hermoso niño. Es justo en estos momentos cuando se dispara el dispositivo psicológico. Parte del lavado de cerebro sigue allí, y casi antes del momento de cortar el cordón umbilical, la chica ya tiene un cigarrillo en la boca. Se olvida el horrible sabor en la alegría del momento. Desde luego no piensa engancharse otra vez: «Un pitillo sólo. Sólo uno.» Demasiado tarde. Ya se ha enganchado. Ha vuelto la nicotina a entrar en su cuerpo. Empezará de nuevo la vieja ansiedad, y aun suponiendo que no se enganche inmediatamente, lo más seguro es que caiga durante la clásica depresión que sigue al parto.

Resulta curioso ver que aunque los heroinómanos son delincuentes ante la ley, nuestra sociedad ha tomado, con toda la razón, la actitud de: «Vamos a ver qué podemos hacer para ayudar a esta pobre gente.» Deberíamos tomar la misma postura hacia los fumadores. No fuman porque quieran fumar, sino porque creen que no tienen más remedio, y no mueren pronto como los heroinómanos, sino que tienen que aguantar años y años de tormentos físicos y mentales. ¿No decimos que es mejor morir rápidamente que sufrir mucho? No envidies al pobre fumador. Lo que necesita es tu compasión.

Capítulo 44

Consejos para no fumadores

Procura que tus amigos o parientes fumadores lean este libro

Primero hojea el libro tú mismo, e intenta ponerte en el lugar del fumador.

No intentes obligarle a leer el libro, ni pretendas que deje de fumar diciéndole que está arruinando su salud o malgastando su dinero. Todo eso ya lo sabe él mejor que tú. Los fumadores no fuman porque disfruten de ello o porque quieran hacerlo. Es sólo lo que dicen a los demás y a sí mismos y para mantener su propio respeto. Fuman porque se sienten dependientes del tabaco, porque creen que les relaja, que les da coraje y confianza, y porque no pueden disfrutar de la vida sin cigarrillos. Si intentas obligar a un fumador a que lo deje por la fuerza, se siente como un animal acorralado, y necesita fumar aún más. Corres el riesgo de convertirle en fumador secreto, lo cual le convencerá más todavía de que el cigarrillo es lo más valioso del mundo. (Ver capítulo veintiséis.)

Hazle ver la otra cara de la moneda. Procura que tenga oportunidad de hablar con personas que antes fumaban mucho y lo han dejado con éxito. Ya existen millones de esas personas aquí en España. Que le cuenten ellos a tu fumador cómo también creían estar enganchados para toda la vida, y lo hermoso que es todo cuando no fumas.

Una vez que el fumador empiece a creer que puede dejar de fumar, se le empezará a abrir la mente. Entonces puedes comenzar a explicar la ilusión que crea la ansiedad producida por la retirada de la nicotina. Cómo los cigarrillos, en lugar de darle un estímulo, están destruyendo la confianza en sí mismo, haciendo que sea irritable e impidiendo que se relaje.

Ahora debería estar dispuesto a leer este libro él mismo. Esperará encontrar página tras página de estadísticas relacionadas con el cáncer de pulmón, o las enfermedades de corazón; explícale de antemano que el enfoque aquí es completamente diferente, y que el asunto de la salud sólo es una pequeña parte.

Ayúdale durante el período de la retirada de la nicotina

Siempre hay que suponer que el ex fumador sufre, aunque no se le note. No intentes minimizar su sufrimiento diciéndole que es fácil dejar de fumar, eso lo puede hacer él. No dejes de decirle lo orgulloso que estás de él. Asegúrale que tiene mucho mejor aspecto, que huele mejor, que respira mejor. Es importante seguir haciendo esto. Cuando una persona deja de fumar, la euforia del momento y el apoyo moral de su familia o de sus amigos le ayuda enormemente. Pero a estos amigos y familiares se les olvida pronto. No hay que parar de alabarle.

Si el ex fumador no habla del tabaco, puedes pensar que se le ha olvidado, y a lo mejor no quieres recordárselo. Suele ser todo lo contrario, sobre todo con el Método de la Fuerza de Voluntad: el pobre hombre está obsesionado. No temas hablar del tabaco, y sigue con las alabanzas. Él ya te dirá si no quiere que hables de fumar.

Haz un esfuerzo para quitarle presiones durante el período de retirada de la droga. Intenta inventar formas de hacerle la vida más interesante y divertida.

Puede ser un período difícil para los no fumadores. Si un miembro de un grupo de personas está inaguantable, suele fastidiar a todos. Si el ex fumador se irrita, ten en cuenta este fenómeno. Si se enfada contigo, no le sigas el juego. Es justo en este momento cuando más necesita tu cariño y tu admiración. Si tú mismo te irritas, procura ocultarlo.

Cuando yo intentaba dejar de fumar con el Método de la Fuerza de la Voluntad, uno de los trucos que empleaba era ponerme tan insufrible que mi mujer o mis amigos me decían: «No puedo soportar verte sufrir tanto. Anda, fúmate un pitillo.» Entonces el fumador se siente justificado. Él no se ha rendido: son los demás los que quieren que fume. Si el ex fumador utiliza este truco, no le digas nunca que vuelva a fumar, dile: «Si es esto lo que hace el tabaco a las personas, menos mal que lo estás dejando y que te vas a liberar de ello. Menos mal que has tenido el valor y la sensatez de dejarlo.»

Una última palabra: ayuda a poner fin a esta vergüenza

En mi opinión, el fumar es la mayor vergüenza de la sociedad occidental, peor incluso que las armas nucleares.

La base de toda nuestra civilización, el factor que nos ha permitido avanzar tanto, es nuestra capacidad de comunicar nuestros conocimientos y nuestras experiencias, no sólo unos a otros, sino a las generaciones futuras. Incluso los animales de las escalas inferiores tienen que advertir a sus crías de posibles peligros en la vida.

Con las armas nucleares no hay problema mientras no exploten. Los que defienden una política de fuerza nuclear no paran de decir, con aire de suficiencia: «Estas armas mantienen la paz.» Si algún día explotan, resolverán el problema del tabaco y todos los demás problemas; y para los políticos es una satisfacción saber que no habrá nadie para decirles: «Os equivocasteis.» (¿Será por eso por lo que escogen la opción nuclear?)

Sin embargo, a pesar de mi desacuerdo con las armas nucleares, estoy convencido de que estas decisiones se toman con la mejor intención; que los políticos realmente creen que sirven a la humanidad. Sin embargo, con el fumar se conocen perfectamente los hechos reales. Tal vez durante la Segunda Guerra Mundial creyesen de verdad que el tabaco daba valor y confianza, pero hoy desde luego saben que es falso. Mira los anuncios modernos de tabaco. Ya no dicen que te relaja o que te proporciona placer. Sólo hacen hincapié en el tamaño de los cigarrillos y la calidad del tabaco. ¿Por qué nos ha de importar el tamaño o la calidad de un veneno?

La hipocresía es increíble. Como sociedad, nos indignamos con los heroinómanos y con los que esnifan pegamento. En comparación con el tabaco, estos problemas son ridículos. El 60 por 100 de la sociedad es o ha sido adicto a la nicotina, y la mayoría de los fumadores gasta gran cantidad de dinero en cigarrillos. Todos los años se destrozan decenas de miles de vidas por esta adicción. Es, con mucho, la que más mata en la sociedad occidental, y el más interesado en que la cosa continúe es el propio gobierno. El Estado español ingresa anualmente billones de pesetas gracias al sufrimiento de los adictos a la nicotina, y a los imperios del tabaco se les permite gastar más miles de millones de pesetas para anunciar sus porquerías.

Qué listos son dejando que las empresas tabacaleras impriman en el paquete aquella advertencia, o que el gobierno se gaste una miseria en programas de televisión que nos adviertan de los peligros del cáncer, del mal aliento y las trombosis, para luego autojustificarse moralmente diciendo: «Ya os hemos advertido del peligro. Ahora es vuestro problema.» El fumador no puede escoger, como tampoco puede el heroinómano. El fumador no decide conscientemente engancharse: se le tiende una sutil trampa. Si los fumadores pudieran escoger, mañana por la mañana sólo fumarían unos cuantos jóvenes que creen que pueden dejarlo cuando quieran.

¿Por qué esta doble moralidad? ¿Por qué a los heroinómanos se les considera delincuentes ante la ley y al mismo tiempo se les permite inscribirse como adictos, suministrándoles heroína gratis y un tratamiento médico adecuado para ayudarles a dejarlo? Intenta inscribirte como adicto al tabaco. Ni siquiera podrás conseguir cigarrillos a precio de costo. Tienes que pagar el triple de su valor real, y cada vez que el gobierno necesite más dinero te apretará más la tuerca. Como si el fumador no tuviera ya bastantes problemas.

Si acudes a un médico, te dirá: «Déjalo, te va a matar», cosa que ya sabes perfectamente (por eso has acudido a él), o te recetará un chicle o parche de nicotina que te puede costar un dineral y contiene la droga que quieres dejar.

Las campañas de terror no ayudan a los fumadores en sus intentos de dejarlo, se lo hacen todavía más difícil. Lo único que se consigue por ese camino es asustar a los fumadores, lo cual aumenta su necesidad de fumar. Ni siquiera se evita que los jóvenes se enganchen. Los jóvenes saben que los cigarrillos matan, pero también saben que no se morirán por fumarse uno. Como el hábito está generalizado, el joven acabará, por presión social o por mera curiosidad, por probar un cigarrillo. Como le sabrá tan asqueroso, lo más probable es que se enganche.

¿Por qué permitimos que continúe esta vergüenza? ¿Por qué no monta el gobierno una campaña de verdad? ¿Por qué no nos dicen a las claras que es una droga y el veneno asesino número uno, que ni te relaja ni te da confianza, sino que te destruye la personalidad y que te puedes enganchar con un sólo cigarrillo?

Me acuerdo de un episodio de *La máquina del tiempo,* de H. G. Wells. El autor describe un incidente en un momento del futuro, cuando un hombre cae a un río. Sus compañeros se quedan tranquilamente en la orilla como si fueran vacas, sin prestar atención a sus gritos de desesperación. Cuando lo leí, lo encontré inhumano y profundamente preocupante. Veo un fenómeno similar en la apatía que muestra nuestra sociedad hacia el problema del tabaco. Permitimos que se televisen deportes promocionados por las empresas tabacaleras en las horas de mayor audiencia. Imagínate la que se armaría si fuese la Mafia la que promocionara el deporte, con la intención de enganchar a jóvenes con la heroína. Y que después del partido, o lo que sea, veamos al presidente del club no cómo fuma un cigarrillo, sino cómo se inyecta heroína.

¿Por qué permitimos que nuestra sociedad siga utilizando a sus jóvenes sanos y fuertes, obligándoles a gastar auténticos dinerales para tener el privilegio de destrozarse física y mentalmente durante el resto de sus días, en un estado de auténtica esclavitud, para vivir una vida de suciedad y enfermedad?

A lo mejor piensas que dramatizo demasiado. No es así. Mi padre perdió la vida cuando tenía poco más de cincuenta años debido al tabaco. Era un hombre fuerte, y quizás hubiera estado vivo todavía si no hubiera fumado.

Estoy convencido de que estuve a punto de morir yo mismo antes de los cincuenta años, aunque mi muerte se hubiera atribuido a una hemorragia cerebral, y no al tabaco. Ahora hablo todos los días con personas, que ya padecen las horribles enfermedades que el tabaco produce, o a las que les falta poco. Y si te lo piensas un poco, tú también conocerás casos de estos.

Algo está cambiando en la sociedad; se ha formado una bola de nieve que ya rueda por la pendiente. Espero que este libro sirva para ayudar a que se convierta en una avalancha.

Tú también puedes ayudar: haz que se extienda nuestro mensaje.

Muchas personas dejan de fumar con el libro. Si no es tu caso, no te preocupes. Miles de personas dejan de fumar definitivamente en nuestras charlas que impartimos por toda España. No pierdes nada. Si no lo consigues, te devolvemos el dinero.

Nuestro teléfono central es 902 102 810 y el número de fax es 942 832 504.

E-mail: easyway@comodejardefumar.com

Página web: www.comodejardefumar.com

Ahora, por fin, puedes decir:
¡ALELUYA! ¡SOY NO FUMADOR!

Verdaderamente has logrado algo maravilloso. Cada vez que me entero de otro fumador que ha escapado del barco que se hunde, siento una enorme satisfacción.

Me agradaría saber que te has liberado de la esclavitud del hierbajo. Te ruego que firmes esta carta y la mandes a:

Allen Carr's EASYWAY
Es fácil dejar de fumar, si sabes cómo
Felisa Campuzano, 21 Entresuelo
39400 Los Corrales de Buelna
(CANTABRIA)

Estimado Allen:
¡ALELUYA! ¡SOY NO FUMADOR!

Firmado .... Fecha ....
Nombre y apellido ....
Dirección ....
....
....
Comentarios ....
....
....
....
....
....
....

Los centros de Allen Carr's EASYWAY

El siguiente listado ofrece información sobre todas las clínicas Allen Carr para dejar de fumar en todo el mundo, donde las cifras de éxito alcanzan el 90%, garantizando la devolución del dinero.

Algunas de estas clínicas también ofrecen sesiones para tratar el alcoholismo y la pérdida de peso. Por favor, contacte con la clínica más próxima para conocer más detalles.

Allen Carr le garantiza que encontrará el método más fácil para dejar de fumar en sus clínicas o le devolverá su dinero.

ESPAÑA
Página web: www.comodejardefumar.com

MADRID / BARCELONA
(también en otras ciudades)
Instructores: Geoffrey Molloy & Rhea Sivi y Equipo
Felisa Campuzano, 21
39400 Los Corrales de Buelna
Cantabria
Tel.: 902 10 28 10
Fax.: 942 83 25 84
E-mail: easyway@comodejardefumar.com
Página web: www.comodejardefumar.com

ALEMANIA
Sesiones en todo el país
Página web: www.allen-carr.de
E-mail: info@allen-carr.de
Teléfono gratuito de información y central de inscripción:
08000 RAUCHEN (0800 07282436)

Instructor: Erich Kellermann y Equipo
Kirchenweg 41
D-83026 Rosenheim
Tel.: 0049 8031 90190-0
Fax.: 0049 8031 9019090

AUSTRALIA
MELBOURNE
Instructora: Trudy Ward
148 Central Road, Nunawading, 3131 Victoria
Tel.: 03 9894 8866
Fax: 03 8812 2030
E-mail: vic@allencarr.com.au
Página web: www.allencarr.com.au

SIDNEY
Instructora: Natalie Clays
Tel. y Fax: 1300 785180
E-mail: nsw@allencarr.com.au
Página web: www.allencarr.com.au
P.O. Box 309, Balmain, NSW 2041

AUSTRIA
Sesiones en todo el país
Página web: www.allen-carr.at
Línea gratuita para información e inscripción:
08000 RAUCHEN (0800 07282436)

Instructor: Erich Kellermann y Equipo
Triesterstraße, 42 Spielberg
Tel.: 00 43 (0) 3512 44775
Fax.: 00 43 (0) 3512 447755-14
E-mail: info@allen-carr.at
Página web: www.allen-carr.at

BÉLGICA
Página web: www.allencarr.be

AMBERES
Instructor: Dirk Nielandt
Koningin Astridplein 27, B-9150 Bazel
Tel.: 03 281 6255
Fax.: 03 744 0608
E-mail: easyway@dirknielandt.be

CANADÁ
Página web: www.allencarrseasy.ca
Teléfono de información y de la central de inscripción:
1-866 666 4299

Contacto: Nicole Garga
Tel.: 905-8497736
Oficina principal: 75 Brookfield Rd, Oakville, ON, L6K 2 Y8
E-mail: nicoleg@allencarreasyway.ca
Página web: www.allencarreasyway.ca

CARIBE
GUADALUPE (ANTILLAS)
Instructora: Fabiana de Oliveira
Tel.: 05 90 84 95 21
E-mail: allencaraibes@wanadoo.fr

COLOMBIA
BOGOTÁ
Instructor: José Manuel Durán
Tel.: 571 2365794 / 571 5301802
E-mail: info@esfacildejardefumar.com
Página web: www.esfacildejardefumar.com

DINAMARCA
COPENHAGUE
Instructora: Mette Fonss
Asger Rygsgade 16, 1.º - 1727 Copenhagen V
Tel.: 0045 519 03536
E-mail: mette@easyway.dk
Página web: www.easyway.dk

ECUADOR
QUITO
Instructora: Ingrid Wittich
Gaspar de Villarroel E9-53y Av. Shyris, 3.er piso
Tel. y Fax.: 02 2820 920
E-mail: toisan@pi-pro.ec

FRANCIA
Sesiones en todo el país
Página web: www.allencarr.fr
Teléfono de la central de inscripción: 0800 FUMEUR

Instructor: Erick Serre y Equipo
11b rue St Ferreol, 13001
Marsella
Tel.: 33 (4) 91335455
E-mail: info@allencarr.fr
Página web: www.allencarr.fr

HOLANDA
Página web: www.allencarr.nl

AMSTERDAM
Instructora: Eveline de Mooij
Pythagorasstraat 22 – 1098 GC Amsterdam
Tel.: 020 465 4665
Fax.: 020 465 6682
E-mail: amsterdam@allencarr.nl

NIMEGA
Instructora: Jacqueline van den Bosch
Van Heutszstraat, 38 – 6521 CX Nijmegen
Tel.: 024 336 03305
E-mail: nijmegen@allencarr.nl

ROTTERDAM
Instructora: Kitty van't Hof
Mathenesserlaan 290 – 3021 HV Rotterdam
Tel.: 010 244 0709
Fax.: 010 244 0710
E-mail: rotterdam@allencarr.nl

UTRECHT
Instructora: Paula Rooduijn
De Beaufortlaan 22 B – 3768 MJ Soestduinen (gem. Soest)
Tel.: 035 602 9458
E-mail: soest@allencarr.nl

IRLANDA
DUBLÍN/CORK
Instructora: Brenda Sweeney y Equipo
Lo-Call (desde Irlanda): 1 890 EASYWAY (379 929)
Tel.: 01 494 9010 (4 líneas)
Fax.: 01 495 2757
E-mail: info@allencarr.ie
Página web: www.easyway.ie

ISLANDIA
REYKJAVIK
Instructor: Petur Einarsson
Skeidarvogur 147 – 104 Reykjavik
Tel.: 354 553 9590
Fax.: 354 588 7060
E-mail: easyway@easyway.is

ITALIA
MILÁN
Instructora: Francesca Cesati
Via Renato Fucini, 3 - 20133 Milano
Tel.: 02 7060 2438
Móvil: 0348 3547774
E-mail: info@easywayitalia.com
Página web: www.easywayitalia.com

JAPÓN
TOKIO
Instructor: Miho Shimada
Roop Toranomon 5F 2-9-2 Nishi - Shinbashi Minato - Ku
Tokio 105-0003
Tel.: 81 3 3507 4020
Fax: 81 3 3507 4022
E-mail: info@allen-carr.jp
Página web: www.allen-carr.jp

MAURICIO
Instructor: Heidi Houreau
Tel.: 00 230 727 5103
E-mail: allencarrmauritius@yahoo.com

MÉXICO
Página web: www.allencarr-mexico.com
Instructor: Jorge Davo
Tel.: 5255 2623 0631
E-mail: info@allencarr-mexico.com

NORUEGA
Página web: www.easyway-norge.no

OSLO
Instructora: Laila Thorsen
Bygdøy Allé, 9c – 0257 Oslo
Tel.: 22 434100
Fax.: 23 434099
E-mail: post@easyway-norge.no

NUEVA ZELANDA
Página web: www.easywaynz.nz

AUCKLAND
Instructora: Vickie Macrae
472 Blockhouse Bay Road – Auckland 1007
Tel.: 09 626 5390
Móvil: 027 417 7077
E-mail: vickie@easywaynz.co.nz

CHRISTCHURCH
Instructora: Maria Roe
Tel.: 021 737810
Página web: www.allencarr.co.nz
E-mail: easyway@allencarr.co.nz

POLONIA
VARSOVIA
Instructora: Anna Kabat
Ul. Wilcza 12 B m13 - 02-532 Varsovia
Tel.: 22 621 3611
E-mail: annakabat@hotmail.com

PORTUGAL
OPORTO
Instructora: Ria Slof
Edificio Zarco, Rua Gonçalves, Zarco 1129B, sala 109
Leça de Palmeira, 4450-685 Matosinhos
Tel.: 22 99 58698
E-mail: info@comodeixardefumar.com
Página web: www.comodeixardefumar.com

REINO UNIDO
Página web: www.allencarreasyway.com
Teléfono de ayuda: 0906 604 0220 (Tarifa: 60 pp./min.)
Teléfono de información gratuita: 0800 389 2115

BIRMINGHAM
Instructores: John Dicey, Colleen Dwyer, Crispin Hay
415 Hagley Road West, Quinton – Birmingham B32 2AD
Tel. y Fax.: 0121 423 1227
E-mail: easywayadmin@tiscali.co.uk

BOURNEMOUTH / SOUTHAMPTON
Instructores: John Dicey, Colleen Dwyer
Tel. y Fax.: 01425 272757

BRIGHTON
Instructores: John Dicey, Colleen Dwyer
Tel.: 0800 028 7257

BRISTOL / SWINDON
Instructor: Charles Holsdsworth-Hunt
Tel.: 0117 950 1441
Página web: www.easywaybristol.co.uk
E-mail: stopsmoking@easywaybristol.co.uk

Instructora de Perder peso: Eva Gray
E-mail: eva@evagray.net
Página web: www.evagray.net
Línea gratuita: 0 800 804 6796

BUCKINGHAMSHIRE: HIGH WYCOMBE / OXFORD /
AYLESBURY
Instructor: Kim Bennett
E-mail: kim@easywaybucks.co.uk
Página web: www.easywaybucks.co.uk

ESCOCIA
Sesiones en todo el país
Instructor: Joe Bergin
Tel.: 0845 450 1375
Página web: www.easywayscotland.co.uk
E-mail: info@easywayscotland.co.uk

EXETER
Instructor: Charles Holdsworth-Hunt
Tel.: 0117 950 1441
Página web: www.easywayexeter.co.uk
E-mail: stopsmoking@easywayexeter.co.uk

GALES DEL SUR: CARDIFF / SWANSEA
Instructor: Charles Holdsworth-Hunt
Tel.: 0117 950 1441
Página web: www.easywaycardiff.co.uk
E-mail: stopsmoking@easywaycardiff.co.uk

IRLANDA DEL NORTE
Instructora: Ciara Orr
Tel.: 0800 587 5212
E-mail: ciara@easywayni.com
Página web: www.easywayni.com
P.O. Box 243, Derry,
N. Ireland, BT48 OWX

KENT
Instructora: Angela Jouanneau
Tel.: 01622 832 554
E-mail: easywaykent@yahoo.co.uk

LONDRES
Instructores: John Dicey, Sue Bolshaw, Sam Carroll, Colleen
Dwyer,
Crispin Hay, Jenny Rutherford
1c Amity Grove, Raynes Park – London SW20 OLQ
Tel.: 020 8944 7761
Fax.: 020 8944 8619
E-mail: postmaster@allencarr.demon.co.uk

MANCHESTER
Instructor: Rob Groves
Línea gratuita: 0800 804 6796
Página web: www.easywaymanchester.co.uk
E-mail: stopsmoking@easywaymanchester.co.uk

Instructora de Perder peso: Eva Gray
E-mail: eva@evagray.net
Página web Perder peso: www.evagray.net

NORTH EAST
Instructor: Tony Attrill
Tel. y Fax.: 0191 581 0449
E-mail: info@stopsmoking-uk.net
Página web: www.easwaynortheast.co.uk

READING
Instructores: John Dicey, Colleen Dwyer
Tel.: 0800 028 7257

STAINES / HEATHROW
Instructores: John Dicey, Colleen Dwyer
Tel.: 0800 028 7257

YORKSHIRE
Instructor: Rob Groves
Línea gratuita: 0800 804 6796
E-mail: stopsmoking@easywayyorkshire.co.uk
Página web: www.easywayyorkshire.co.uk

Instructora de Perder peso: Eva Gray
E-mail: eva@evagray.net
Página web Perder peso: www.evagray.net

REPÚBLICA CHECA
ESLOVAQUIA
Instructor: Leo Baier
E-mail: a.baier@easyway-sk-cz.com

SUDÁFRICA
Página web: www.allencarr.co.za
Central de inscripción: 0861 100 200

CIUDAD DE EL CABO
Instructor: Dr. Charles Nel
15 Draper Sq. Draper St. – Claremont 7708
Tel.: 083 600 5555
E-mail: easyway@allencarr.co.za

PRETORIA
Instructor: Dudley Garner
Tel.: 084 (EASYWAY) 327 9929
E-mail: info@allencarr.co.za

SUIZA
Página web: www.allen-carr.ch
Línea gratuita para información e inscripción:
0800 RAUCHEN (0800 7282426)

ZÚRICH
Instructor: Cyrill Argast y Equipo
Schontalstrasse 30, Ch – 8486 Zurich-Rikon
Tel.: 0041 52 3833773
Fax.: 0041 52 3833774
E-mail: info@allen-carr.ch

Sesiones en la Suiza Italiana
Tel.: 0800 728 2436
E-mail: info@allen-carr.ch
Página web: www.allen-carr.ch

TURQUÍA
Tel.: 00902123585307
E-mail: info@allencarrturkiye.com
Página web: www.allencarrturkiye.com

USA
Central de información y reservas: 1 866 666 4299
E-mail: info@allencarrusa.com
Página web: www.allencarrusa.com
Seminarios habituales en Nueva York y Los Ángeles

Una última advertencia

Te has unido a los millones de otros ex fumadores que pensaron que nunca podrían liberarse, pero que por fin han escapado de la esclavitud de la adicción a la nicotina. ¡FELICIDADES!

Ahora puedes disfrutar del resto de tu vida como no fumador feliz. Para asegurar que sigas así, tienes que seguir las siguientes instrucciones:

1. Guarda el libro en un sitio seguro para poder leerlo cuando quieras. No lo pierdas, prestes ni regales.

2. En caso de que empieces a envidiar a un fumador, date cuenta de que es él quien te estará envidiando a ti. No eres tú quien se priva, sino él.

3. Recuerda: No disfrutabas de ser fumador. Por eso lo dejaste. Sí disfrutas de ser no fumador.

4. Nunca dudes de tu decisión de nunca más volver a fumar. Sabes que es la decisión correcta.

5. En caso de que empieces a pensar: «¿Me fumo un cigarrillo?» Recuerda: No existe cosa de un solo cigarrillo. La pregunta que tienes que contestar no es: «¿Me fumo otro cigarrillo?», sino: «¿Verdaderamente quiero volver a ser fumador otra vez, metiéndome estas cosas en la boca todo el día, todos los días y encendiéndolas?» La respuesta:
«¡No! ¡Gracias a Dios soy libre!»